biblio

L'autobiographie

Recueil de textes

Notes, questionnaires et Dossier Bibliocollège
par Stéphane GUINOISEAU,
agrégé de Lettres modernes,
professeur en collège

Crédits photographiques

pp. 5-7 : Willy Ronis, 1951 © Ronis/Rapho. **pp. 8-9 :** Albrecht Dürer, 1493, Musée du Louvre, Paris © Hachette. **pp. 20-21 :** Élisabeth Louise Vigée-Lebrun (1755-1842), Musée des Offices, Florence © Dagli Orti. **p. 29 :** Quentin de La Tour, Musée du Louvre, Paris © RMN. **pp. 34-35 :** Vincent Van Gogh, 1889, Musée du Louvre © Hachette-Livre-Photothèque. **pp. 46-47 :** Picasso, Barcelone, 1896 © Succession Picasso 2002/Hachette. **p. 55 :** Pablo Picasso, Galerie nationale, Prague © Artephot/Nimatallah/ Administration Picasso. **pp. 60-61-69 :** *Dessine-moi la Paix* © Unicef. **pp. 74-75 :** Frida Kahlo avec Dr Farrill, Mexico, 1951 © Gisèle Freund/agence Nina Beskow. **pp. 86-87 :** Charles Baudelaire © RMN/Michèle Bellot. **p. 99 :** Hippolyte Bayard, Château-Musée, Nemours © RMN/R.G. Ojeda. **p. 104 :** Yan © Rapho. **p. 116 :** Alfred Hitchcock, *Rebecca* © Collection Christophe L. **p. 126 :** Alfred Hitchcock, *Lifeboat* © Collection Christophe L.

Conception graphique
Couverture : *Laurent Carré*
Intérieur : *ELSE*

Mise en page
Alinéa

Recherche iconographique
Chantal Hanoteau

Illustration des questionnaires
Harvey Stevenson

ISBN 978-2-01-168213-0

Sommaire

À l'épreuve des camps

Formes originales

Le journal intime

Dossier Bibliocollège

Introduction

Il existe plusieurs façons de se raconter. Certains tiennent un journal intime, d'autres se livrent dans des lettres (ou des e-mail !). Ces formes d'écriture privées ne sont généralement pas destinées à la publication, même si, par exception, les journaux d'écrivains célèbres, comme les Goncourt, ou des correspondances, comme celle de Mme de Sévigné, ont été publiés.

On peut aussi souhaiter rendre publique sa vie en en faisant la matière ou l'inspiration d'un livre. Certains, parce qu'ils ont participé à des événements politiques ou historiques importants, désirent raconter leur expérience : ils écrivent des Mémoires ou des témoignages. D'autres racontent indirectement certains épisodes de leur vie dans des romans : ils inventent des personnages qui peuvent leur ressembler. Toutes ces formes témoignent du souci de se confier et de comprendre sa vie.

Willy Ronis, *Autoportrait.*

Ce souci de se raconter et de se comprendre en retraçant sa vie est à l'origine du projet autobiographique. L'autobiographie naît vraiment avec *Les Confessions* de Rousseau au XVIIIe siècle, où il expose aux lecteurs tous les aspects d'une existence : les plus nobles comme les moins glorieux. C'est ainsi du moins que le projet se définit avec Rousseau : une exploration du moi et de la vie intime qui suppose la sincérité de l'écrivain et la volonté de dire la vérité. Évidemment, ce projet n'est pas simple à réaliser : l'oubli, les déformations, le décalage dans le temps font que le passé n'est pas intact et entier. De plus, vaincre la tentation de faire le récit de ses perfections, de ses qualités et d'oublier ses défauts suppose de l'audace et un certain courage : il n'est pas toujours facile de dire la vérité, toute la vérité ! Une autobiographie est toujours un défi formidable aux convenances, aux vanités personnelles, aux fausses pudeurs qui interdisent de se dire. C'est toute la différence ici entre un écrivain qui fait l'expérience de cette authenticité dans un texte et ces autobiographies de stars qui fleurissent parfois sur les rayons des librairies pour susciter l'admiration des lecteurs…

Il existe autant de façons de se raconter qu'il y a d'écrivains.

À l'intérieur du genre autobiographique, la diversité des manières et des styles règne. De saint Augustin à Patrick Chamoiseau, l'autobiographie a suscité une grande variété de textes dont nous avons réuni ici un florilège. La variété des formes et des styles montre la difficulté de transcrire sa vie dans un livre : il y a une différence entre l'existence et les mots, et chaque autobiographe est à la recherche du langage le plus juste pour saisir son expérience. Tous ces écrivains ont quelques exigences communes qui sont aussi de grands enjeux de la littérature : plonger au plus intime de l'existence, restituer les émotions d'une situation vécue, inventer un style susceptible de déjouer les mensonges ou les facilités du langage ordinaire.

Willy Ronis, *Autoportrait*.

Albrecht Dürer, *Autoportrait*, 1493.

Saint Augustin : *Les Confessions*

Saint Augustin, un des théologiens les plus importants de l'histoire du christianisme, rédigea ses Confessions *à la fin du IVe siècle après Jésus-Christ. Il y raconte son itinéraire spirituel et retrace sa vie depuis sa naissance jusqu'à sa trente-huitième année. Face à Dieu, véritable interlocuteur de saint Augustin, l'auteur « confesse » ses égarements, ses péchés, ses doutes. Il raconte son cheminement tortueux jusqu'à la « grâce » et à la conversion définitive au christianisme. La première partie des* Confessions *relate la jeunesse tumultueuse du futur saint, son enfance, ses études et ses erreurs. Dans le « Livre VIII », saint Augustin évoque sa conversion : ce texte, extrait du chapitre 12 de ce livre, raconte son « illumination », le moment de la « grâce » divine.*

Je me couchai par terre sous un figuier : je ne saurais dire en quelle manière ; et ne pouvant plus tenir mes larmes, il en sortit de mes yeux des fleuves et des torrents, que vous reçûtes comme un sacrifice agréable. Je vous dis plusieurs choses ensuite, sinon en ces mêmes termes, au moins en ce même sens : « Seigneur, jusques à quand ? Jusques à quand serez-vous en colère contre moi ? Oubliez s'il vous plaît mes iniquités[1] passées. » Car je connaissais bien que c'étaient elles qui me retenaient. Et c'était ce qui me faisait dire avec une voix lamentable : « Jusques à quand ? Jusques à quand remettrai-je toujours au lendemain ? Pourquoi ne sera-ce pas tout à cette heure ? Pourquoi mes ordures et mes saletés ne finiront-elles pas dès ce moment ? »

Comme je parlais de la sorte, et pleurais très amèrement dans une profonde affliction[2] de mon cœur, j'entendis sortir de la maison la plus proche une voix comme d'un jeune garçon ou d'une fille qui disait et répétait souvent en chantant : prenez et lisez, prenez et lisez. Je changeai soudain de visage, et commençai à penser en moi-même, si les enfants ont accoutumé[3] de chanter en certains jeux quelque chose de semblable ; et il ne me souvint point de l'avoir jamais remarqué. Ainsi j'arrêtai le cours de mes larmes, et me levai sans pouvoir penser autre chose, sinon que Dieu me commandait d'ouvrir le livre des Épîtres[4] de saint Paul, et de lire le premier endroit que je trouverais : car j'avais appris que saint Antoine étant un jour entré dans l'église lorsqu'on lisait l'Évangile, avait écouté et reçu comme particulièrement adressées à lui ces paroles qu'on en lisait : « Allez, vendez tout ce que vous avez, et donnez-le aux pauvres : vous aurez un trésor dans le ciel : et venez et me suivez[5]. » Et que par cet oracle[6] qu'il entendit, il fut dans le même moment converti à vous.

notes

1. iniquités : péchés.
2. affliction : douleur.
3. accoutumé : l'habitude.
4. Épîtres : Lettres.
5. Évangile de saint Matthieu, 19-21.
6. oracle : prophétie.

Je retournai donc aussitôt vers le lieu où Alipe[1] était assis, parce que j'y avais laissé les Épîtres de saint Paul lorsque
35 j'en étais parti. Je pris le livre : je l'ouvris, et dans le premier endroit que je rencontrai, je lus tout bas ces paroles sur lesquelles d'abord je jetai les yeux : « Ne vivez pas dans les festins et dans l'ivrognerie, ni dans les impudicités[2] et les débauches, ni dans les contentions[3] et les envies ; mais
40 revêtez-vous de notre Seigneur Jésus-Christ, et ne cherchez pas à contenter votre chair selon les plaisirs de votre sensualité[4]. » Je n'en voulus pas lire davantage [...].

Saint Augustin, *Les Confessions*, traduction Arnauld d'Andilly établie par Odette Barenne, Gallimard, 1993.

Montaigne : *Les Essais*

Publiés en 1580 et 1588, Les Essais *de Montaigne sont l'œuvre d'une vie. Commencés en 1572, Montaigne les a poursuivis jusqu'à sa mort, en 1592, relisant constamment son texte et lui apportant des ajouts. Œuvre à part, ni journal, ni autobiographie, ni confessions, n'appartenant à aucune des catégories traditionnelles de la littérature intimiste, l'ouvrage expose plutôt les pensées de l'auteur, le témoignage de ses expériences, de son évolution et de ses transformations. À travers la description de lui-même (*« je suis moi-même la matière de mon livre »*, écrit-il), à travers les tentatives renouvelées pour saisir sa singularité, Montaigne tente de décrire la condition humaine. Le premier texte est un autoportrait, le second explique son projet d'écrivain.*

notes

1. ***Alipe :*** ami de saint Augustin.
2. ***impudicités :*** impuretés.
3. ***contentions :*** disputes.
4. Nouveau Testament, Lettre aux Romains, 13, 13-14.

Portrait en pied de Montaigne par lui-même

J'ai, au demeurant, la taille corpulente et trapue ; le visage plein sans être gras ; le tempérament à mi-chemin entre le jovial et le mélancolique, moyennement sanguin et chaud,

5 *« Aussi ai-je les jambes hérissées de soyeux duvet et la poitrine de poils »* (Martial[1], *Épigrammes*, II, 36),

la santé robuste et allègre jusqu'à un âge bien avancé de ma vie, rarement troublée par les maladies. Ou plutôt j'étais ainsi, car je ne m'intéresse pas à ce que je suis aujourd'hui, 10 que me voilà engagé dans les avenues de la vieillesse, ayant depuis longtemps dépassé la quarantaine :

« peu à peu les forces et la vigueur adulte sont brisées par l'âge qui amorce le déclin » (Lucrèce[2], *De rerum natura*[3], chant II).

Ce que je serai dorénavant, ce ne sera plus qu'un demi- 15 être, ce ne sera plus moi. Je m'échappe[4] tous les jours et me dérobe à moi-même,

« un à un nos biens nous sont pillés par les années qui passent » (Horace[5], *Épîtres*, II, 2). [...]

Mon état physique est en somme en parfaite concordance[6] 20 avec mon état moral. Il n'y a rien en moi d'allègre, mais seulement une vigueur pleine et ferme. Je supporte bien ce qui est pénible, mais je le supporte si je l'accepte de mon propre mouvement, et seulement dans la mesure où c'est mon désir qui m'y conduit.

25 *« Le goût qu'on y prend trompant agréablement l'austérité du labeur »* (Horace, *Satires*, II, 2).

notes

1. Martial : écrivain latin du Ier siècle apr. J.-C.
2. Lucrèce : philosophe latin du Ier siècle av. J.-C.
3. De rerum natura : De la nature.
4. m'échappe : m'amoindris.
5. Horace : poète latin du Ier siècle av. J.-C.
6. concordance : harmonie.

Autrement, si je n'y suis pas alléché par un quelconque plaisir, et si j'ai un autre guide que ma pure et libre volonté, je n'y vaux rien. Car j'en suis à ce point où en dehors de la
30 santé et de la vie, il n'est rien pour quoi je veuille ronger mes ongles, et que je veuille acheter au prix du tourment et de la contrainte,

« À si haut prix je ne voudrais pas de tout le sable du Tage obscur avec l'or qu'il roule vers la mer » (Juvénal[1], *Satires*, III),

35 car je suis extrêmement oisif, extrêmement libre, et de nature et d'art.

Montaigne, *Les Essais II*, 17, De la présomption,
translation en français moderne de Bruno-Roger Vasselin,
Hachette Éducation, 1994.

L'être et le passage

Les autres forment l'homme ; moi je le raconte, et j'en représente un, en particulier, bien mal formé ; celui-là, si j'avais à le façonner de nouveau, je le ferais vraiment bien différent de ce qu'il est : désormais, c'est fait et ce n'est plus à faire. Cela
5 dit, les traits de mon pinceau ne s'égarent point, quoiqu'ils changent et se diversifient. Le monde n'est qu'une éternelle balançoire, toutes choses y oscillent sans cesse, la terre, les rochers du Caucase, les pyramides d'Égypte, tant sous l'effet de l'oscillation générale que de la leur propre ; la constance
10 même n'est rien d'autre qu'une oscillation alanguie. Je ne puis m'assurer de mon objet, il se trouble et chancelle, du fait d'une ivresse naturelle. Je le saisis en cette position comme il est à l'instant où je m'occupe de lui. Je ne peins pas l'être, je peins le passage : non pas le passage d'un âge à un autre, ou,

note

1. Juvénal : poète satirique latin du IIe siècle apr. J.-C.

15 comme dit le peuple, de sept en sept ans, mais de jour en jour, de minute en minute. Il faut accommoder mon histoire à l'heure. Je pourrai sous peu avoir des revirements non seulement de fortune, mais aussi d'intention. C'est une mise en registre[1] d'événements divers et mouvants et de pensées 20 indécises et, le cas échéant, contradictoires : soit que je sois moi-même différent, soit que je saisisse les sujets à travers des circonstances et des préoccupations différentes.

Toujours est-il qu'il peut bien m'arriver de me contredire, mais la vérité, comme disait Démade[2], je ne la contredis pas. 25 Si mon âme pouvait se poser, je ne ferais pas sur moi des essais, je me résoudrais : elle est toujours en train d'apprendre et d'éprouver.

J'expose une vie basse et sans éclat, cela revient au même. On peut tirer aussi bien toute la philosophie morale d'une 30 vie ordinaire et privée que d'une vie de plus riche étoffe ; chaque homme porte en lui tout entière la forme de la condition humaine.

Montaigne, *Les Essais III*, 2, Du repentir,
translation en français moderne de Bruno-Roger Vasselin,
Hachette Éducation, 1994.

notes

1. ***mise en registre*** **:** mise en recueil.
2. ***Démade*** **:** orateur et homme politique athénien (384-320 av. J.-C.) célèbre pour sa fougue.

La Rochefoucauld : *Recueil de portraits et éloges*

Après avoir pris part à la rébellion contre le ministère de Mazarin et avoir été défait, La Rochefoucauld se retira de la vie politique et se consacra à l'écriture. Il publiera en 1664 des Maximes *où il expose une vision très pessimiste de l'être humain : pour lui, la plupart des actions humaines sont inspirées par l'amour-propre, le souci d'être reconnu et flatté. Les actes authentiquement désintéressés et motivés par la bonté sont exceptionnellement rares. La Rochefoucauld publia, quelques années avant son ouvrage majeur, un* Recueil de portraits et éloges *(en 1659). À cette époque, il était courant de publier des portraits plus ou moins cruels de personnages célèbres. C'était même un jeu de société dans les cercles mondains. L'autoportrait est une variante de ce genre en vogue aux XVIIe et XVIIIe siècles. Cet autoportrait est extrait de ce recueil.*

Je suis d'une taille médiocre[1] et bien proportionnée. J'ai le teint brun mais assez uni, le front élevé et d'une raisonnable grandeur, les yeux noirs, petits et enfoncés, et les sourcils noirs et épais, mais bien tournés. Je serais fort empêché à
5 dire de quelle sorte j'ai le nez fait, car il n'est ni camus[2] ni aquilin[3], ni gros ni pointu, au moins à ce que je crois. Tout ce que je sais, c'est qu'il est plutôt grand que petit, et qu'il descend un peu trop en bas. J'ai la bouche grande, et les lèvres assez rouges d'ordinaire, et ni bien ni mal taillées. J'ai les
10 dents blanches, et passablement[4] bien rangées. On m'a dit autrefois que j'avais un peu trop de menton : je viens de me

notes

1. *médiocre :* moyenne.
2. *camus :* écrasé, court et plat.
3. *aquilin :* fin et recourbé.
4. *passablement :* assez.

tâter et de me regarder dans le miroir pour savoir ce qui en est, et je ne sais pas trop bien qu'en juger. Pour le tour du visage, je l'ai ou carré ou en ovale ; lequel des deux, il me
15 serait fort difficile de le dire. J'ai les cheveux noirs, naturellement frisés, et avec cela assez épais et assez longs pour pouvoir prétendre en belle tête[1]. J'ai quelque chose de chagrin[2] et de fier dans la mine ; cela fait croire à la plupart des gens que je suis méprisant quoique je ne le sois point du tout. J'ai
20 l'action[3] fort aisée, et même un peu trop, et jusques à faire beaucoup de gestes en parlant. Voilà naïvement comme je pense que je suis fait au dehors, et l'on trouvera, je crois, que ce que je pense de moi là-dessus n'est pas fort éloigné de ce qui en est. J'en userai avec la même fidélité dans ce qui me
25 reste à faire de mon portrait ; car je me suis assez étudié pour me bien connaître, et je ne manque ni d'assurance pour dire librement ce que je puis avoir de bonnes qualités, ni de sincérité pour avouer franchement ce que j'ai de défauts. Premièrement pour parler de mon humeur, je suis mélanco-
30 lique et je le suis à un point que depuis trois ou quatre ans à peine m'a-t-on vu rire trois ou quatre fois.

La Rochefoucauld, *Recueil des portraits et éloges en vers et en prose dédié à son Altesse Royale Mademoiselle*, Sercy et Barbin, 1659.

notes

1. ***prétendre en belle tête :*** revendiquer une belle tête.
2. ***chagrin :*** triste.
3. ***l'action :*** les gestes.

Au fil du texte

Questions sur « Les précurseurs » (pages 8 à 16)

Avez-vous bien lu ?

1. À qui s'adresse saint Augustin au début du passage (pp. 9-10) ?

2. Que demande le texte des *Épîtres de saint Paul* ?

3. Quelle précision Montaigne (p. 11 à p. 14) donne-t-il sur son âge au moment où il écrit ?

4. Quels détails physiques Montaigne donne-t-il dans son autoportrait ?

5. Le portrait de La Rochefoucauld (pp. 15-16) est-il surtout moral ou physique ?

6. Quel est le siècle de La Rochefoucauld ?

Étudier le vocabulaire et la grammaire

7. Identifiez le locuteur* et le destinataire* du texte de saint Augustin en relevant les pronoms personnels qui permettent de justifier votre réponse.

8. Quelle différence majeure peut-on noter entre la situation d'énonciation* des deux textes de Montaigne et celle du texte de saint Augustin (appuyez votre réponse sur l'analyse des pronoms personnels) ?

9. Relevez trois mots du champ lexical* de la religion dans le texte de saint Augustin.

10. Quelle est l'étymologie* et la signification première de *« Évangile »* ?

locuteur : celui qui parle, qui dit ou écrit « je ».

destinataire : celui à qui l'on s'adresse.

situation d'énonciation : les actes de parole qui signalent la présence des interlocuteurs.

champ lexical : ensemble des mots qui se rapportent à un même sujet.

étymologie : origine d'un mot.

11. Dans Montaigne :
a. Que veut dire *« jovial »* (p. 12, l. 3) ?
b. Donnez un nom formé sur le même radical que *« oisif »* (p. 13, l. 35).
c. Expliquez la formule : *« J'expose une vie basse et sans éclat »* (p. 14, l. 28).

12. Expliquez l'orthographe de *« lesquelles »* (saint Augustin, p. 11, l. 37).

ÉTUDIER LE DISCOURS

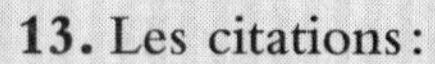

13. Les citations :
a. Combien de textes sont cités dans le passage de saint Augustin et à quel livre sont-ils empruntés ?
b. Quel est leur destinataire particulier dans le texte de saint Augustin ?
c. Quel rapport peut-on établir entre saint Antoine et saint Augustin ?
d. Combien de citations comporte le premier texte de Montaigne ? À quoi servent-elles selon vous ?

14. D'après La Rochefoucauld, quelles sont les qualités nécessaires pour faire son autoportrait ? Répondez en relevant deux termes qui signalent ces qualités.

ÉTUDIER LE GENRE : LE DISCOURS AUTOBIOGRAPHIQUE

15. Que veut dire le terme *« confessions »* dans le texte de saint Augustin (p. 9) ? Ce mot est-il synonyme d'autobiographie ? Justifiez votre réponse.

16. Peut-on dire de ce passage des *Confessions* (p. 9 à p. 11) qu'il est autobiographique ?

17. Pour quelles raisons est-il difficile de se peindre selon Montaigne ?

18. Dans le second texte (pp. 13-14), par quels arguments Montaigne justifie et explique sa démarche autobiographique ?

19. À partir du texte de La Rochefoucauld, dites la différence entre autoportrait et autobiographie.

ÉTUDIER L'ÉCRITURE

mélioratif : valorisant, favorable.

20. Quelle est la figure de style employée par Montaigne dans cette phrase : *« Me voilà engagé dans les avenues de la vieillesse »* (p. 12, l. 10) ?

21. Relevez les adverbes *« trop »* dans la description de La Rochefoucauld. Qu'indiquent-ils ?

22. Relevez un autre adverbe qui indique un jugement positif ou mélioratif* dans la description de La Rochefoucauld.

LIRE L'IMAGE

23. Décrivez rapidement l'expression de Dürer dans ce tableau (page 8). Que tient le peintre dans une main ?

À VOS PLUMES

24. Faites votre autoportrait en deux parties : description physique puis morale. Vous pouvez vous inspirer du texte de Michel Leiris (p. 47).

Élisabeth Louise Vigée-Lebrun, *Autoportrait*, 1791.

Les Confessions

*Philosophe majeur du XVIIIe siècle, Jean-Jacques Rousseau est né à Genève en 1712. Collaborateur de l'*Encyclopédie *dans les années 1750, il est l'auteur d'ouvrages fondamentaux sur les méfaits de la vie en société :* Discours sur les sciences et les arts *(1750),* Discours sur l'origine et les fondements de l'inégalité parmi les hommes *(1755),* Du contrat social *(1762). Le projet des* Confessions *lui est suggéré par son éditeur hollandais qui lui demande, en 1761, de rédiger l'histoire de sa vie. Rousseau se documente et commence vraiment la rédaction des* Confessions *en 1765. Il achève la première partie en 1767, mais le livre ne sera publié qu'à partir de 1782, après sa mort, survenue le 2 juillet 1778.*

L'incipit

Si la « confession » *implique l'aveu d'une culpabilité et un souci de transparence, Rousseau cherche aussi à démontrer son innocence originelle parfois pervertie par le monde extérieur et la vie en société.*

Les ennemis de Rousseau railleront cette tentative de justification. Il n'en reste pas moins que Rousseau écrit la première autobiographie, dans la mesure où il raconte la totalité d'une vie, sans en masquer les aspects les plus intimes. L'incipit de son livre fixe clairement ce projet de se raconter soi-même. Sa franchise a longtemps choqué les lecteurs soucieux de bonnes manières.

Intus, et in cute[1].

Je forme une entreprise[2] qui n'eut jamais d'exemple et dont l'exécution n'aura point d'imitateur. Je veux montrer à mes semblables un homme dans toute la vérité de la nature ; et cet homme ce sera moi.

5 Moi seul. Je sens mon cœur et je connais les hommes. Je ne suis fait comme aucun de ceux que j'ai vus ; j'ose croire n'être fait comme aucun de ceux qui existent. Si je ne vaux pas mieux, au moins je suis autre. Si la nature a bien ou mal fait de briser le moule dans lequel elle m'a jeté, c'est ce dont 10 on ne peut juger qu'après m'avoir lu.

Que la trompette du Jugement dernier[3] sonne quand elle voudra, je viendrai, ce livre à la main, me présenter devant le souverain juge. Je dirai hautement : voilà ce que j'ai fait, ce que j'ai pensé, ce que je fus. J'ai dit le bien et le mal avec 15 la même franchise. Je n'ai rien tu de mauvais, rien ajouté de bon, et s'il m'est arrivé d'employer quelque ornement indifférent, ce n'a jamais été que pour remplir un vide occasionné par mon défaut de mémoire ; j'ai pu supposer vrai ce que je savais avoir pu l'être, jamais ce que je savais 20 être faux. Je me suis montré tel que je fus ; méprisable et vil

notes

1. *Intus, et in cute* : « intérieurement et sous la peau », citation du poète latin Perse, dans *Satires*, 3.

2. *entreprise* : projet.

3. *Jugement dernier* : jugement de Dieu à la fin du monde sur le sort des êtres humains.

quand je l'ai été, bon, généreux, sublime, quand je l'ai été : j'ai dévoilé mon intérieur tel que tu l'as vu toi-même. Être éternel, rassemble autour de moi l'innombrable foule de mes semblables ; qu'ils écoutent mes confessions, qu'ils 25 gémissent de mes indignités, qu'ils rougissent de mes misères. Que chacun d'eux découvre à son tour son cœur aux pieds de ton trône avec la même sincérité ; et puis qu'un seul te dise, s'il l'ose : *Je fus meilleur que cet homme-là.*

Jean-Jacques Rousseau, *Les Confessions* (1782-1789), Livre Premier.

Le peigne brisé

Après avoir blessé un adversaire au cours d'un duel, le père de Jean-Jacques Rousseau dut quitter Genève. Jean-Jacques est placé sous la tutelle de son oncle Bernard. Il est alors mis en pension en Suisse, de 1722 à 1724, avec son cousin. Ils sont éduqués par le pasteur Lambercier (la famille de Rousseau est protestante) et sa sœur, Mlle Lambercier. Accusé à tort, Rousseau fait la découverte de l'injustice…

J'étudiais un jour seul ma leçon dans la chambre contiguë à la cuisine. La servante avait mis sécher à la plaque[1] les peignes de Mlle Lambercier. Quand elle revint les prendre, il s'en trouva un dont tout un côté de dents était brisé. 5 À qui s'en prendre de ce dégât ? personne autre que moi n'était entré dans la chambre. On m'interroge : je nie d'avoir touché le peigne. M. et Mlle Lambercier se réunissent, m'exhortent[2], me pressent, me menacent ; je persiste

notes

1. *plaque* : niche pratiquée dans le mur d'une ancienne cheminée de cuisine.
2. *m'exhortent* : me supplient.

avec opiniâtreté[1] mais la conviction était trop forte, elle
10 l'emporta sur toutes mes protestations, quoique ce fût la première fois qu'on m'eût trouvé tant d'audace à mentir. La chose fut prise au sérieux ; elle méritait de l'être. La méchanceté, le mensonge, l'obstination parurent également dignes de punition ; mais pour le coup ce ne fut pas par
15 Mlle Lambercier qu'elle me fut infligée. On écrivit à mon oncle Bernard ; il vint. Mon pauvre cousin était chargé d'un autre délit, non moins grave : nous fûmes enveloppés[2] dans la même exécution. Elle fut terrible. Quand, cherchant le remède dans le mal même, on eût voulu pour jamais amor-
20 tir mes sens dépravés, on n'aurait pu mieux s'y prendre. Aussi me laissèrent-ils en repos pour longtemps.

On ne put m'arracher l'aveu qu'on exigeait. Repris à plusieurs fois et mis dans l'état le plus affreux, je fus inébranlable. J'aurais souffert la mort, et j'y étais résolu. Il fallut que
25 la force même cédât au diabolique entêtement d'un enfant, car on n'appela pas autrement ma constance. Enfin je sortis de cette cruelle épreuve en pièces, mais triomphant.

Il y a maintenant près de cinquante ans de cette aventure, et je n'ai pas peur d'être aujourd'hui puni derechef[3] pour
30 le même fait ; eh bien, je déclare à la face du Ciel que j'en étais innocent, que je n'avais ni cassé, ni touché le peigne, que je n'avais pas approché de la plaque, et que je n'y avais pas même songé. Qu'on ne me demande pas comment ce dégât se fit : je l'ignore et ne puis le comprendre ; ce que je
35 sais très certainement, c'est que j'en étais innocent.

Qu'on se figure un caractère timide et docile dans la vie ordinaire, mais ardent, fier, indomptable dans les passions, un

notes

1. opiniâtreté : volonté tenace. ***2. enveloppés :*** réunis. ***3. derechef :*** de nouveau.

enfant toujours gouverné par la voix de la raison, toujours traité avec douceur, équité, complaisance, qui n'avait pas
40 même l'idée de l'injustice, et qui, pour la première fois, en éprouve une si terrible de la part précisément des gens qu'il chérit et qu'il respecte le plus : quel renversement d'idées ! quel désordre de sentiments ! quel bouleversement dans son cœur, dans sa cervelle, dans tout son petit être intelligent et
45 moral ! Je dis qu'on s'imagine tout cela, s'il est possible, car pour moi, je ne me sens pas capable de démêler, de suivre la moindre trace de ce qui se passait alors en moi.

Je n'avais pas encore assez de raison pour sentir combien les apparences me condamnaient, et pour me mettre à la place
50 des autres. Je me tenais à la mienne, et tout ce que je sentais, c'était la rigueur d'un châtiment effroyable pour un crime que je n'avais pas commis.

Jean-Jacques Rousseau, *Les Confessions* (1782-1789), Livre Premier.

La rencontre avec Mme de Warens

Revenu à Genève en 1724, Rousseau quitte la ville en 1728. Il séjourne en Savoie, à Confignon, où M. de Pontverre, curé catholique, l'adresse à Mme de Warens à Annecy, qui doit l'aider à renier le protestantisme…

[…] je pars pour Annecy. J'y pouvais être aisément en un jour ; mais je ne me pressais pas, j'en mis trois. Je ne voyais pas un château à droite ou à gauche sans aller chercher l'aventure que j'étais sûr qui m'y attendait. Je n'osais
5 entrer dans le château ni heurter[1], car j'étais fort timide,

note

1. ***heurter*** **:** frapper (le heurtoir).

mais je chantais sous la fenêtre qui avait le plus d'apparence[1], fort surpris, après m'être longtemps époumoné, de ne voir paraître ni dames ni demoiselles qu'attirât la beauté de ma voix ou le sel de mes chansons, vu que j'en
10 savais d'admirables, que mes camarades m'avaient apprises, et que je chantais admirablement.

J'arrive enfin ; je vois Mme de Warens. Cette époque de ma vie a décidé de mon caractère ; je ne puis me résoudre à la passer légèrement. J'étais au milieu de ma seizième année.
15 Sans être ce qu'on appelle un beau garçon, j'étais bien pris dans ma petite taille ; j'avais un joli pied, la jambe fine, l'air dégagé, la physionomie animée[2], la bouche mignonne, les sourcils et les cheveux noirs, les yeux petits et même enfoncés, mais qui lançaient avec force le feu dont mon
20 sang était embrasé. Malheureusement, je ne savais rien de tout cela, et de ma vie il ne m'est arrivé de songer à ma figure que lorsqu'il n'était plus temps d'en tirer parti. Ainsi j'avais avec la timidité de mon âge celle d'un naturel très aimant, toujours troublé par la crainte de déplaire.
25 D'ailleurs, quoique j'eusse l'esprit assez orné, n'ayant jamais vu le monde, je manquais totalement de manières, et mes connaissances, loin d'y suppléer, ne servaient qu'à m'intimider davantage, en me faisant sentir combien j'en manquais.

30 Craignant donc que mon abord[3] ne prévînt pas en ma faveur, je pris autrement mes avantages, et je fis une belle lettre en style d'orateur, où, cousant des phrases des livres avec des locutions d'apprenti, je déployais toute mon éloquence pour capter la bienveillance de Mme de Warens.

notes

1. avait le plus d'apparence : la mieux située. ***2. animée :*** vive. ***3. abord :*** apparence.

35 J'enfermai la lettre de M. de Pontverre dans la mienne, et je partis pour cette terrible audience. Je ne trouvai point Mme de Warens ; on me dit qu'elle venait de sortir pour aller à l'église. C'était le jour des Rameaux[1] de l'année 1728. Je cours pour la suivre : je la vois, je l'atteins, je lui parle… Je
40 dois me souvenir du lieu ; je l'ai souvent depuis mouillé de mes larmes et couvert de mes baisers. Que ne puis-je entourer d'un balustre[2] d'or cette heureuse place ! que n'y puis-je attirer les hommages de toute la terre ! Quiconque aime à honorer les monuments du salut des hommes n'en devrait
45 approcher qu'à genoux.

C'était un passage derrière sa maison, entre un ruisseau à main droite qui la séparait du jardin, et le mur de la cour à gauche, conduisant par une fausse porte à l'église des cordeliers. Prête à entrer dans cette porte, Mme de Warens se
50 retourne à ma voix. Que devins-je à cette vue ! Je m'étais figuré une vieille dévote bien rechignée[3] : la bonne dame de M. de Pontverre ne pouvait être autre chose à mon avis. Je vois un visage pétri de grâces, de beaux yeux bleus pleins de douceur, un teint éblouissant, le contour d'une gorge
55 enchanteresse. Rien n'échappa au rapide coup d'œil du jeune prosélyte[4] ; car je devins à l'instant le sien, sûr qu'une religion prêchée par de tels missionnaires ne pouvait manquer de mener en paradis. Elle prend en souriant la lettre que je lui présente d'une main tremblante, l'ouvre, jette un
60 coup d'œil sur celle de M. de Pontverre, revient à la mienne, qu'elle lit tout entière, et qu'elle eût relue encore si son laquais ne l'eût avertie qu'il était temps d'entrer. « Eh !

notes

1. jour des Rameaux : fête chrétienne qui célèbre l'arrivée de Jésus à Jérusalem (8 jours avant Pâques).

2. balustre : muret.

3. rechignée : austère, désagréable.

4. prosélyte : nouveau converti.

mon enfant, me dit-elle d'un ton qui me fit tressaillir, vous voilà courant le pays bien jeune ; c'est dommage en vérité. »
65 Puis, sans attendre ma réponse, elle ajouta : « Allez chez moi m'attendre ; dites qu'on vous donne à déjeuner ; après la messe j'irai causer avec vous. »

Jean-Jacques Rousseau, *Les Confessions* (1782-1789),
Livre Deuxième.

Quentin de La Tour, *Autoportrait* (1704-1788).

Au fil du texte

Questions sur « Rousseau, le fondateur » (pages 20 à 29)

Avez-vous bien lu ?

1. En quelle année Rousseau entreprend-il la rédaction de son livre ?

2. Quand Rousseau affirme qu'il n'aura pas d'imitateur, de quoi parle-t-il ?

3. Que demande Rousseau au lecteur avant de le juger ?

4. De quoi Rousseau est-il accusé ?

5. Quel est l'âge de Rousseau au moment de la rencontre avec Mme de Warens ?

6. En quelle année la scène est-elle située ?

7. Où est Mme de Warens quand Jean-Jacques se présente au domaine ?

8. Qui est M. de Pontverre ?

présent de narration : présent utilisé dans un récit évoquant des événements anciens.

présent d'énonciation : présent du narrateur en train d'écrire son texte.

Étudier le vocabulaire et la grammaire

9. Définissez le présent de narration* et le présent d'énonciation* et donnez un exemple pour chacun, tiré de l'épisode du peigne brisé (p. 23).

10. Relevez un exemple des différentes valeurs du présent de l'indicatif employées dans la rencontre avec Mme de Warens (p. 25). Expliquez ensuite pourquoi Rousseau utilise autant le présent de narration dans ce texte.

11. Quels autres temps de l'indicatif peut-on relever dans ce même passage ? Donnez un exemple pour chacun et expliquez sa valeur.

12. La citation latine (p. 22) comporte un préfixe très utilisé en français moderne. Lequel ?

13. Trouvez deux mots où ce préfixe a la valeur spatiale : *« dans »*.

14. Trouvez trois adjectifs où ce même préfixe a une valeur différente.

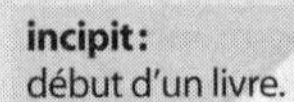

incipit : début d'un livre.

ÉTUDIER L'ORTHOGRAPHE

15. Expliquez l'orthographe du participe passé dans : *« Je ne suis fait comme aucun de ceux que j'ai vus »* (p. 22, l. 5-6).

16. *« [...] quoique ce fût la première fois [...] »* (p. 24, l. 10-11) : quel est le temps du verbe être ? Conjuguez-le à toutes les personnes. Pourquoi le rencontre-t-on ici ?

17. *« Il fallut que la force même cédât »* (p. 24, l. 24-25) : identifiez le temps employé et conjuguez le verbe « céder » à ce temps.

ÉTUDIER LE DISCOURS

18. De combien de paragraphes est constitué l'incipit* (pp. 22-23) ? Donnez un titre à chacun.

19. Relevez les pronoms personnels de 2e et de 3e personne de l'incipit. À qui Rousseau s'adresse-t-il ici ?

20. Quel parallèle peut-on établir entre l'incipit des *Confessions* et l'extrait de saint Augustin (p. 9) ?

21. Dans le premier paragraphe de l'incipit, Rousseau parle de ses *« semblables »*. Relevez une phrase qui indique une idée contraire dans le second paragraphe.

22. Dans le « peigne brisé » (p. 23 à p. 25), séparez les passages du récit de l'aventure du jeune Rousseau de ceux où le narrateur adulte commente l'épisode.

23. Relevez dans ce même texte une formule témoignant de la sincérité du narrateur adulte.

prosopopée: figure de style par laquelle on donne la parole à un mort ou à une personne absente.

24. Relevez des phrases exclamatives et identifiez la fonction de l'exclamation dans ce passage.

25. Le souvenir de la rencontre avec Mme de Warens semble troubler le narrateur plus âgé. Relevez deux exemples qui signalent un regret ou une nostalgie (p. 25 à p. 28).

ÉTUDIER LE GENRE : L'AUTOBIOGRAPHIE

26. Après avoir lu la définition du *« pacte autobiographique »* (p. 111), dites en quoi l'incipit constitue un « pacte autobiographique » exemplaire.

27. *« Je forme une entreprise qui n'eut jamais d'exemple »* (p. 22, l. 1) : expliquez cette formule de Rousseau en vous aidant des explications sur l'histoire de l'autobiographie (p. 104 à p. 109).

28. L'épisode du « peigne brisé » (pp. 23-25) marque une étape décisive dans le développement de l'enfant : laquelle ?

ÉTUDIER L'ÉCRITURE

29. Quel passage de l'incipit peut être considéré comme une prosopopée*? À quoi sert-elle selon vous ?

30. *« Je me suis montré tel que je fus* [...] » (p. 22, l. 20) : analysez les adjectifs présents dans la suite de cette phrase. Lesquels sont péjoratifs*, lesquels sont mélioratifs* ? A-t-on le même nombre d'adjectifs dans les deux cas ?

31. Dans l'épisode du peigne brisé (pp. 23-25), l'enfant est décrit à la fois comme un martyr et un héros. Montrez-le en relevant quelques mots qui indiquent l'un et l'autre de ces deux aspects.

LIRE L'IMAGE

32. Vers quelle partie du tableau p. 20, le regard du spectateur est-il attiré ? Pourquoi ?

À VOS PLUMES

33. Il vous est peut-être arrivé d'être vous-même victime d'une injustice et d'être accusé d'un méfait sans preuve. Racontez cet épisode et les leçons que vous en tirez aujourd'hui.

péjoratifs : dépréciatifs, défavorables.

mélioratifs : valorisants, favorables.

Vincent Van Gogh, *Autoportrait*, 1889.

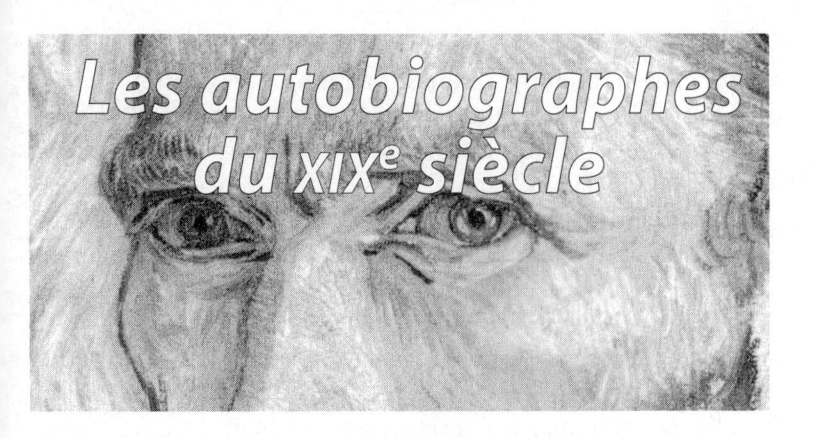

Stendhal, *Vie de Henry Brulard*

Écrit en 1835, la Vie de Henry Brulard *raconte la jeunesse de Stendhal, romancier déjà célèbre à cette époque. Ce récit étonnant, inachevé, au titre ambigu, parsemé de dessins (le manuscrit comporte 177 croquis) ne sera publié qu'en 1890. Après Stendhal (pseudonyme de Henri Beyle), l'écrivain adopte ici un nouveau nom, Henry Brulard, ce qui traduit surtout, à travers le refus du patronyme, le rejet de son père. La mort de sa mère, survenue quand Stendhal avait sept ans, est une rupture fondamentale dans l'enfance de l'auteur de* La Chartreuse de Parme *: sous la houlette d'un père glacial et d'une tante autoritaire, Séraphie, l'écrivain entre dans l'*« âge des malheurs »*. Seul contre-modèle dans l'enfer familial, son grand-père maternel, Henri Gagnon, ressuscite un peu de la* « tendresse maternelle » *perdue.*

Jamais peut-être le hasard n'a rassemblé deux êtres plus foncièrement antipathiques[1] que mon père et moi.

De là l'absence de tout plaisir dans mon enfance, de 1790 à 1799. Cet âge, que la voix de tous dit être celui des vrais plaisirs de la vie, grâce à mon père n'a été pour moi qu'une suite de douleurs amères et de dégoûts. Deux diables étaient déchaînés contre ma pauvre enfance, ma tante Séraphie et mon père qui dès 1791 devint son esclave.

Le lecteur peut se rassurer sur le récit de mes malheurs, d'abord il peut sauter quelques pages, parti que je le supplie de prendre, car j'écris à l'aveugle peut-être des choses fort ennuyeuses même pour 1835, que sera-ce en 1880 ? En second lieu je n'ai presque aucun souvenir de la triste époque 1790-1795 pendant laquelle j'ai été un pauvre petit bambin persécuté, toujours grondé à tout propos, et protégé seulement par un sage à la Fontenelle[2] qui ne voulait pas livrer bataille pour moi, et d'autant qu'en cas de bataille son autorité supérieure à tout lui commandait d'élever davantage la voix, or c'est ce qu'il avait le plus en horreur ; et ma tante Séraphie, qui je ne sais pourquoi m'avait pris en guignon[3], le savait bien aussi.

Quinze ou vingt jours après la mort de ma mère, mon père et moi nous retournâmes coucher dans la triste maison, moi dans un petit lit vernissé fait en cage, placé dans l'alcôve[4] de mon père. Il renvoya ses domestiques et mangea chez mon grand-père qui jamais ne voulut entendre parler de pension. Je crois que c'est par intérêt pour moi

notes

1. antipathiques : opposés, incompatibles.
2. Fontenelle : écrivain et philosophe qui vécut de 1657 à 1757.
3. pris en guignon : pris en grippe.
4. alcôve : la chambre.

que mon grand-père se donna ainsi la société habituelle
30 d'un homme qui lui était antipathique.
Ils n'étaient réunis que par le sentiment d'une profonde douleur. À l'occasion de la mort de ma mère ma famille rompit toutes ses relations de société, et, pour comble d'ennui pour moi, elle a depuis constamment vécu isolée.
35 M. Joubert, morne pédant[1] montagnard (on appelle cela à Grenoble bet, ce qui veut dire un homme grossier né dans les montagnes de Gap), M. Joubert qui me montrait le latin, Dieu sait avec quelle sottise, en me faisant réciter les règles du rudiment[2], chose qui rebutait mon intelligence et
40 l'on m'en accordait beaucoup, mourut. J'allais prendre ses leçons sur la petite place Notre-Dame ; je puis dire n'y avoir jamais passé sans me rappeler ma mère et la parfaite gaieté de la vie que j'avais menée de son temps. Actuellement, même mon bon grand-père en m'embrassant me
45 causait du dégoût.

Stendhal, *Vie de Henry Brulard*, 1890.

notes

1. pédant : pédagogue. ***2. rudiment :*** latin élémentaire.

George Sand, *Histoire de ma vie*

Femme écrivain et modèle de femme libre au XIXe siècle, George Sand entreprend d'écrire son autobiographie en 1847. Il lui faudra huit ans pour l'achever. Histoire de ma vie *paraît dans une première édition de 20 volumes dans les années 1854-1855. Née en 1804, George Sand accorde une large place à l'histoire de sa famille avant sa naissance et à son enfance. Elle intègre par exemple dans son autobiographie des lettres de son père qu'elle remanie parfois ! Rejetant le modèle de la* « confession » *rousseauiste, George Sand ne s'étend pas sur sa vie sentimentale tumultueuse. Ici, après avoir critiqué l'égocentrisme des confidences personnelles et intimes, elle définit l'intérêt de l'entreprise autobiographique en lui donnant une portée pédagogique.*

Beaucoup d'êtres humains vivent sans se rendre un compte sérieux de leur existence, sans comprendre et presque sans chercher quelles sont les vues de Dieu à leur égard, par rapport à leur individualité aussi bien que par rapport à la société
5 dont ils font partie. Ils passent parmi nous sans se révéler, parce qu'ils végètent sans se connaître, et, bien que leur destinée, si mal développée qu'elle soit, ait toujours son genre d'utilité ou de nécessité conforme aux vues de la Providence, il est fatalement certain que la manifestation de leur vie reste incomplète
10 et moralement inféconde pour le reste des hommes.
La source la plus vivante et la plus religieuse du progrès de l'esprit humain, c'est, pour parler la langue de mon temps, la notion de *solidarité*[1]. Les hommes de tous les temps l'ont

note

1. On eût dit sensibilité au siècle dernier, charité antérieurement, fraternité il y a cinquante ans (note de l'auteur).

senti instinctivement ou distinctement, et toutes les fois
15 qu'un individu s'est trouvé investi du don plus ou moins
développé de manifester sa propre vie, il a été entraîné à
cette manifestation par le désir de ses proches ou par une
voix intérieure non moins puissante. Il lui a semblé alors
remplir une obligation, et c'en était une, en effet, soit qu'il
20 eût à raconter les événements historiques dont il avait été
le témoin, soit qu'il eût fréquenté d'importantes
individualités, soit enfin qu'il eût voyagé et apprécié les
hommes et les choses extérieures à un point de vue quelconque.
25 Il y a encore un genre de travail personnel qui a été plus
rarement accompli, et qui, selon moi, a une utilité tout
aussi grande, c'est celui qui consiste à raconter la vie intérieure, la vie de l'âme, c'est-à-dire l'histoire de son propre
esprit et de son propre cœur, en vue d'un enseignement
30 fraternel. Ces impressions personnelles, ces voyages ou ces
essais de voyage dans le monde abstrait de l'intelligence ou
du sentiment, racontés par un esprit sincère et sérieux,
peuvent être un stimulant, un encouragement, et même un
conseil et un guide pour les autres esprits engagés dans le
35 labyrinthe de la vie. C'est comme un échange de
confiance et de sympathie qui élève la pensée de celui qui
raconte et de celui qui écoute.

George Sand, *Histoire de ma vie*, 1854.

Chateaubriand, *Mémoires d'outre-tombe*

Voyageur, soldat, diplomate, écrivain, homme politique, Chateaubriand, né à Saint-Malo le 4 septembre 1768, est un homme aux talents multiples. Il a mûri et travaillé pendant quarante ans les Mémoires d'outre-tombe, *œuvre qui doit raconter sa vie et, à travers elle, l'histoire du premier* XIXe *siècle. Ce vaste récit est publié en feuilleton à titre posthume à partir de 1848. Cette œuvre renoue avec la tradition des mémoires aristocratiques où le narrateur raconte les événements politiques dont il a été le témoin et l'acteur. Si Chateaubriand a pris quelques libertés avec la vérité pour construire une image héroïque de lui-même, le texte n'en est pas moins foisonnant et offre une grande variété de scènes étonnantes.*

Lorsque le temps était beau, les pensionnaires du collège sortaient le jeudi et le dimanche. On nous menait souvent au Mont-Dol[1], au sommet duquel se trouvaient quelques ruines gallo-romaines : du haut de ce tertre[2] isolé, l'œil
5 plane sur la mer et sur des marais où voltigent pendant la nuit des feux follets, lumière des sorciers qui brûle aujourd'hui dans nos lampes. Un autre but de nos promenades était les prés qui environnaient un séminaire[3] d'Eudistes, d'Eudes[4], frère de l'historien Mézerai, fondateur de la
10 congrégation.

Un jour du mois de mai, l'abbé Egault, préfet de semaine[5], nous avait conduits à ce séminaire ; on nous laissait une

notes

1. Mont-Dol : mont situé en Bretagne.
2. tertre : butte à sommet aplati.
3. séminaire : établissement religieux.
4. Jean Eudes : prêtre français (1601-1680).
5. préfet de semaine : prêtre chargé de la discipline dans certains collèges religieux.

grande liberté de jeux, mais il était expressément défendu de monter sur les arbres. Le régent[1] après nous avoir établis
15 dans un chemin herbu, s'éloigna pour dire son bréviaire[2]. Des ormes bordaient le chemin ; tout à la cime du plus grand, brillait un nid de pie : nous voilà en admiration, nous montrant mutuellement la mère assise sur ses œufs, et pressés du plus vif désir de saisir cette superbe proie. Mais
20 qui oserait tenter l'aventure ? L'ordre était si sévère, le régent si près, l'arbre si haut. Toutes les espérances se tournent vers moi ; je grimpais comme un chat. J'hésite puis la gloire l'emporte : je me dépouille[3] de mon habit, j'embrasse l'orme et je commence à monter. Le tronc était sans
25 branches, excepté aux deux tiers de sa crue[4], où se formait une fourche dont une des pointes portait le nid.
Mes camarades, assemblés sous l'arbre, applaudissaient à mes efforts, me regardant, regardant l'endroit d'où pouvait venir le préfet, trépignant de joie dans l'espoir des œufs, mourant
30 de peur dans l'attente du châtiment. J'aborde au nid, la pie s'envole ; je ravis les œufs, je les mets dans ma chemise et redescends. Malheureusement, je me laisse glisser entre les tiges jumelles et j'y reste à califourchon. L'arbre étant élagué, je ne pouvais appuyer mes pieds ni à droite ni à
35 gauche pour me soulever et reprendre le limbe[5] extérieur : je demeure suspendu en l'air à cinquante pieds[6].
Tout à coup un cri : « Voici le préfet ! » et je me vois incontinent[7] abandonné de mes amis, comme c'est l'usage.

Chateaubriand, *Mémoires d'outre-tombe*, 1848.

notes

1. régent : professeur.
2. bréviaire : livre de prières.
3. je me dépouille de : j'enlève.
4. crue : hauteur.
5. limbe : bord.
6. pied : ancienne unité de mesure équivalant à 0,32 m.
7. incontinent : aussitôt.

Au fil du texte

Questions sur « Les autobiographes du XIXe siècle » (pages 34 à 41)

AVEZ-VOUS BIEN LU ?

1. Quels sont les deux êtres responsables du malheur de Henry Brulard durant son enfance dans le texte de Stendhal (pp. 36-37) ?

2. Qui protège l'enfant dans l'univers familial ? Comment est-il désigné dans le texte ?

tournure restrictive : ne… que. Tournure qui indique une limitation. Ex. : il n'aime que la peinture abstraite.

3. Pour George Sand, quelle est la source du progrès de l'esprit humain (pp. 38-39) ?

4. Dans les *Mémoires d'outre-tombe* (pp. 40-41), quels sont les jours où les pensionnaires sortent pour aller au Mont-Dol ou dans les prés ?

5. Qu'aperçoivent les enfants au sommet d'un orme ?

6. Comment réagissent les camarades de Chateaubriand au retour du *« préfet »* ?

ÉTUDIER LE VOCABULAIRE ET LA GRAMMAIRE

7. Dans l'extrait de la *Vie de Henry Brulard* (pp. 36-37), relevez deux façons différentes d'exprimer un rapport logique de cause.

8. Relevez dans le texte (pp. 36-37) une tournure restrictive*.

9. Relevez (pp. 36-37) les subordonnées relatives introduites par le pronom relatif « qui » et donnez leur fonction après avoir noté l'antécédent.

10. Dans le texte de George Sand (pp. 38-39), relevez deux subordonnées conjonctives de concessions et les subordonnées conjonctives de cause et indiquez pour chacune le temps utilisé.

11. Expliquez le verbe *« végètent »* (p. 38, l. 6) et donnez-en un synonyme.

12. Quelle est la figure de style dans l'expression *« le labyrinthe de la vie »* (p. 39, l. 34-35) ?

13. Que veut dire le mot *« Providence »* (p. 38, l. 8) ?

14. Relevez dans l'extrait des *Mémoires d'outre-tombe* (pp. 40-41) les mots appartenant au champ lexical* de l'arbre et expliquez les mots difficiles.

15. Expliquez l'orthographe de *« conduits »* (p. 40, l. 12).

champ lexical : ensemble des mots qui se rapportent à un même sujet.

narrateur : celui qui raconte l'histoire.

ÉTUDIER LE DISCOURS

16. Relevez un passage de la *Vie d'Henry Brulard* (pp. 36-37) où le présent du narrateur* interrompt le récit des événements passés. À qui s'adresse alors le narrateur ?

17. Plusieurs époques sont mentionnées dans l'extrait la *Vie d'Henry Brulard* (pp. 36-37). Relevez-les, y compris celles pour lesquelles aucune date précise n'est donnée.

18. Dans l'extrait d'*Histoire de ma vie* (pp. 38-39), relevez les marques de l'énonciation (qui indiquent la présence du narrateur).

19. Transformez la première phrase du deuxième paragraphe (p. 38, l. 11) de façon à commencer par *« la notion de solidarité »*. Quel est l'intérêt de l'ordre choisi par George Sand ?

20. Cet extrait d'*Histoire de ma vie* est-il un texte narratif* ou argumentatif* ? Justifiez votre réponse.

21. Relevez les différents temps utilisés dans le premier paragraphe du texte de Chateaubriand (pp. 40-41) et donnez leur valeur.

22. Relevez les présents de narration* dans ce même texte et dites quel est l'intérêt de ce temps ici.

23. Remplacez les verbes au présent de ce même texte par des verbes au passé simple.

narratif : qui raconte une histoire.
argumentatif : qui expose des idées sur un sujet.
présent de narration : présent utilisé dans un récit évoquant des événements anciens.

ÉTUDIER LE GENRE : L'AUTOBIOGRAPHIE AU XIXe SIÈCLE

24. Relevez une phrase de l'extrait de Stendhal qui montre que la mémoire peut être défaillante.

25. Stendhal s'adresse à un double destinataire. Relevez une phrase qui le démontre et dites pourquoi il adopte cette stratégie.

26. George Sand distingue deux grands types d'écrits autobiographiques. Lesquels ? Qu'est-ce qui les distingue ?

27. Pour George Sand, l'autobiographie a une finalité pédagogique. Dites pourquoi et relevez une expression qui justifie cette remarque.

28. Pourquoi l'enfant, dans les *Mémoires d'outre-tombe*, est-il un « héros » dans ce passage ? Relevez quelques formules qui tendent à le démontrer au lecteur.

ÉTUDIER L'ÉCRITURE

29. À quelle époque renvoie l'adverbe *« actuellement »* (p. 37, l. 43-44) ?

30. Dans le texte de Stendhal (pp. 36-37), relevez une expression qualifiant l'enfant.

31. Quels mots soulignent et rendent plus intense sa douleur ?

32. Relevez une comparaison utilisée à propos du jeune Chateaubriand. Qu'indique-t-elle ?

LIRE L'IMAGE

33. Dans le tableau p. 34, le visage de Van Gogh est-il présenté de face ou légèrement désaxé ? Un événement biographique survenu en décembre 1888 peut expliquer ce choix. Lequel ?

34. « *Tu verras*, écrit Vincent à son frère Théo à propos de cet autoportrait, *quand tu mettras le portrait sur fond clair que je viens de terminer à côté de ceux que j'ai faits de moi à Paris, qu'à présent j'ai l'air plus sain qu'alors et même beaucoup.* » Faites une recherche pour trouver un ou deux autoportraits antérieurs à celui proposé p. 34 et comparez-les.

35. La pratique de l'autoportrait peut aussi avoir des raisons économiques. Pourquoi ?

voix narrative : elle désigne celui qui parle dans un texte, c'est-à-dire le narrateur.

À VOS PLUMES

36. Écrivez la suite de l'épisode rapporté par Chateaubriand en veillant à respecter la voix narrative* et le style alerte de l'auteur.

Pablo Picasso, *Autoportrait*, 1896.

Michel Leiris, *L'Âge d'homme*

Cas à part dans la littérature autobiographique, Michel Leiris a consacré, en une cinquantaine d'années, huit livres (et un abondant Journal*) à l'exploration de son moi. Autant d'inventaires de ses pensées et de ses changements où la recherche d'une écriture juste passe parfois par un langage personnel poétique. Le souci de la vérité et de l'authenticité pousse Michel Leiris à dévoiler ses rêves, ses fantasmes, ses défauts avec une franchise impudique. Cet autoportrait, extrait de* L'Âge d'homme *(son premier texte authentiquement autobiographique, composé de 1930 à 1935 et publié en 1939), dont Picasso aurait dit* « Votre pire ennemi n'aurait pas mieux fait », *montre qu'il ne craint ni l'autocritique ni l'autodérision.*

Je viens d'avoir trente-quatre ans, la moitié de la vie. Au physique, je suis de taille moyenne, plutôt petit. J'ai des cheveux châtains coupés court afin d'éviter qu'ils ondulent, par crainte aussi que ne se développe une calvitie

5 menaçante. Autant que je puisse en juger, les traits caractéristiques de ma physionomie sont : une nuque très droite, tombant verticalement comme une muraille ou une falaise, marque classique (si l'on en croit les astrologues) des personnes nées sous le signe du Taureau, un front déve-
10 loppé, plutôt bossué, aux veines temporales exagérément noueuses et saillantes. Cette ampleur de front est en rapport (selon le dire des astrologues) avec le signe du Bélier ; et en effet je suis né un 20 avril, donc aux confins de ces deux signes : le Bélier et le Taureau. Mes yeux sont bruns,
15 avec le bord des paupières habituellement enflammé ; mon teint est coloré ; j'ai honte d'une fâcheuse tendance aux rougeurs et à la peau luisante. Mes mains sont maigres, assez velues, avec des veines très dessinées ; mes deux majeurs, incurvés vers le bout, doivent dénoter quelque
20 chose d'assez faible ou d'assez fuyant dans mon caractère.
Ma tête est plutôt grosse pour mon corps ; j'ai les jambes un peu courtes par rapport à mon torse, les épaules trop étroites relativement aux hanches. Je marche le haut du corps incliné en avant ; j'ai tendance, lorsque je suis assis, à
25 me tenir le dos voûté ; ma poitrine n'est pas très large et je n'ai guère de muscles. J'aime à me vêtir avec le maximum d'élégance ; pourtant, à cause des défauts que je viens de relever dans ma structure et de mes moyens qui, sans que je puisse me dire pauvre, sont plutôt limités, je me juge d'or-
30 dinaire profondément inélégant ; j'ai horreur de me voir à l'improviste dans une glace car, faute de m'y être préparé, je me trouve à chaque fois d'une laideur humiliante.
Quelques gestes m'ont été – ou me sont – familiers : me flairer le dessus de la main ; ronger mes pouces presque jus-
35 qu'au sang ; pencher la tête légèrement de côté ; serrer les lèvres et m'amincir les narines avec un air de résolution ;

me frapper brusquement le front de la paume – comme quelqu'un à qui vient une idée – et l'y maintenir appuyée quelques secondes (autrefois, dans des occasions analogues, 40 je me tâtais l'occiput[1]) ; cacher mes yeux derrière ma main quand je suis obligé de répondre oui ou non sur quelque chose qui me gêne ou de prendre une décision ; quand je suis seul me gratter la région anale ; etc. Ces gestes, je les ai un à un abandonnés, au moins pour la plupart. Peut-être 45 aussi en ai-je seulement changé et les ai-je remplacés par de nouveaux que je n'ai pas encore repérés ? Si rompu que je sois à m'observer moi-même, si maniaque que soit mon goût pour ce genre amer de contemplation, il y a sans nul doute des choses qui m'échappent, et vraisemblablement 50 parmi les plus apparentes, puisque la perspective est tout et qu'un tableau de moi, peint selon ma propre perspective, a de grandes chances de laisser dans l'ombre certains détails qui, pour les autres, doivent être les plus flagrants.

Mon activité principale est la littérature, terme aujourd'hui 55 bien décrié. Je n'hésite pas à l'employer cependant, car c'est une question de fait : on est littérateur comme on est botaniste, philosophe, astronome, physicien, médecin. À rien ne sert d'inventer d'autres termes, d'autres prétextes pour justifier ce goût qu'on a d'écrire : est littérateur quiconque 60 aime penser une plume à la main. Le peu de livres que j'ai publiés ne m'a valu aucune notoriété. Je ne m'en plains pas, non plus que je ne m'en vante, ayant une même horreur du genre écrivain à succès que du genre poète méconnu.

Sans être à proprement parler un voyageur, j'ai vu un certain 65 nombre de pays : très jeune, la Suisse, la Belgique, la

note

1. occiput : partie postérieure et inférieure (médiane) du crâne.

Hollande, l'Angleterre, plus tard la Rhénanie, l'Égypte, la Grèce, l'Italie et l'Espagne, très récemment l'Afrique tropicale. Cependant je ne parle convenablement aucune langue étrangère et cela, joint à beaucoup d'autres choses, me
70 donne une impression de déficience[1] et d'isolement.

Michel Leiris, *L'Âge d'homme*, Gallimard, 1939.

note

1. déficience : insuffisance.

Jean-Paul Sartre, *Les Mots*

Lorsqu'il publie Les Mots *en 1964, Jean-Paul Sartre est un écrivain reconnu et un philosophe réputé, engagé dans l'action politique qui l'occupera jusqu'à sa mort, en 1980. Dans ce récit autobiographique, il entreprend de raconter, avec humour et ironie, son enfance jusqu'à sa onzième année. Il explique comment est née sa* « vocation d'écrivain ». *Un père mort prématurément, une mère jeune et rêveuse, un grand-père qui vénère les livres et rêve d'un petit-fils écrivain, c'est dans ce cadre familial parfois étroit que grandit Jean-Paul Sartre, se prenant pour un héros de roman d'aventures, à l'écart d'une certaine façon des activités et des jeux des enfants de son âge. Réfugié dans son* « perchoir », *l'enfant s'est construit un monde imaginaire où ses rêves peuvent se déployer en toute liberté… Mais, au contact des autres enfants, il ressent aussi sa solitude et ses manques.*

Sur les terrasses du Luxembourg, des enfants jouaient, je m'approchais d'eux, ils me frôlaient sans me voir, je les regardais avec des yeux de pauvre : comme ils étaient forts et rapides comme ils étaient beaux ! Devant ces héros de chair
5 et d'os, je perdais mon intelligence prodigieuse, mon savoir universel, ma musculature athlétique, mon adresse spadassine[1] ; je m'accotais à un arbre ; j'attendais. Sur un mot du chef de la bande, brutalement jeté : « Avance, Pardaillan[2] c'est toi qui feras le prisonnier », j'aurais abandonné mes privi-
10 lèges. Même un rôle muet m'eût comblé ; j'aurais accepté dans l'enthousiasme de faire un blessé sur une civière, un

notes

1. spadassine : d'escrimeur.
2. Pardaillan : héros créé par l'écrivain Michel Zévaco.

mort. L'occasion ne m'en fut pas donnée : j'avais rencontré mes vrais juges, mes contemporains, mes pairs, et leur indifférence me condamnait. Je n'en revenais pas de me découvrir
15 par eux : ni merveille ni méduse, un gringalet qui n'intéressait personne. Ma mère cachait mal son indignation : cette grande et belle femme s'arrangeait fort bien de ma courte taille, elle n'y voyait rien que de naturel : les Schweitzer[1] sont grands et les Sartre petits, je tenais de mon père, voilà tout. Elle aimait
20 que je fusse, à huit ans, resté portatif et d'un maniement aisé : mon format réduit passait à ses yeux pour un premier âge prolongé. Mais, voyant que nul ne m'invitait à jouer, elle poussait l'amour jusqu'à deviner que je risquais de me prendre pour un nain – ce que je ne suis pas tout à fait – et
25 d'en souffrir. Pour me sauver du désespoir elle feignait l'impatience : « Qu'est-ce que tu attends, gros benêt[2] ? Demande-leur s'ils veulent jouer avec toi. » Je secouais la tête : j'aurais accepté les besognes les plus basses, je mettais mon orgueil à ne pas les solliciter. Elle désignait des dames qui tricotaient
30 sur des fauteuils de fer : « Veux-tu que je parle à leurs mamans ? » Je la suppliais de n'en rien faire ; elle prenait ma main, nous repartions, nous allions d'arbre en arbre et de groupe en groupe, toujours implorants, toujours exclus. Au crépuscule, je retrouvai mon perchoir[3], les hauts lieux où
35 soufflait l'esprit, mes songes : je me vengeais de mes déconvenues par six mots d'enfant et le massacre de cent reîtres[4]. N'importe : ça ne tournait pas rond.

Jean-Paul Sartre, *Les Mots*, Gallimard, 1964.

notes

1. ***Schweitzer :*** famille maternelle de Jean-Paul Sartre.
2. ***benêt :*** nigaud.
3. ***perchoir :*** endroit haut perché.
4. ***reîtres :*** cavaliers.

Nathalie Sarraute, *Enfance*

Publié en 1983, Enfance *est un livre autobiographique où Nathalie Sarraute explore les souvenirs éparpillés d'une jeunesse difficile et douloureuse, jusqu'à son entrée au lycée Fénelon, à Paris. Composé de 70 épisodes, le livre respecte globalement un ordre chronologique mais sans continuité narrative entre les fragments. Ce sont les souvenirs, avec leur jaillissement aléatoire et les images ou sensations qu'ils rappellent et suscitent qui seront évoqués au fil du texte. Face à un univers familial éclaté (les parents ont divorcé alors qu'elle avait deux ans), la jeune fille se réfugie parfois dans l'univers imaginaire des romans d'aventures.*

On a mis dans ma chambre une vieille commode achetée chez un brocanteur, elle est en bois sombre, avec une épaisse plaque de marbre noir, des tiroirs ouverts se dégage une forte odeur de renfermé, de moisi, ils contiennent
5 plusieurs énormes volumes reliés en carton recouvert d'un papier noir à veinules[1] jaunâtres… le marchand a oublié ou peut-être négligé de les retirer… c'est un roman de Ponson du Terrail[2], *Rocambole.*
Tous les sarcasmes de mon père… « C'est de la camelote[3],
10 ce n'est pas un écrivain, il a écrit… je n'en ai, quant à moi, jamais lu une ligne, mais il paraît qu'il a écrit des phrases grotesques… "Elle avait les mains froides comme celles d'un serpent…" c'est un farceur, il se moquait de ses personnages, il les confondait, les oubliait, il était obligé pour
15 se les rappeler de les représenter par des poupées qu'il

notes

1. veinules : petites ramifications.
2. Ponson du Terrail : écrivain français du XIXe siècle.
3. camelote : mauvaise qualité.

enfermait dans ses placards, il les en sortait à tort et à travers, celui qu'il avait fait mourir, quelques chapitres plus loin, revient bien vivant… tu ne vas tout de même pas perdre ton temps… » Rien n'y fait… dès que j'ai un
20 moment libre je me dépêche de retrouver ces grandes pages gondolées, comme encore un peu humides, parsemées de taches verdâtres, d'où émane quelque chose d'intime, de secret… une douceur qui ressemble un peu à celle qui plus tard m'enveloppait dans une maison de province,
25 vétuste[1], mal aérée, où il y avait partout des petits escaliers, des portes dérobées, des passages, des recoins sombres…
Voici enfin le moment attendu où je peux étaler le volume sur mon lit, l'ouvrir à l'endroit où j'ai été forcée d'abandonner… je m'y jette, je tombe… impossible de me laisser
30 arrêter, retenir par les mots, par leur sens, leur aspect, par le déroulement des phrases, un courant invisible m'entraîne avec ceux à qui de tout mon être imparfait mais avide de perfection je suis attachée, à eux qui sont la bonté, la beauté, la grâce, la noblesse, la pureté, le courage mêmes…
35 je dois avec eux affronter des désastres, courir d'atroces dangers, lutter au bord de précipices, recevoir dans le dos des coups de poignard, être séquestrée, maltraitée par d'affreuses mégères, menacée d'être perdue à jamais… et chaque fois quand nous sommes tout au bout de ce que je
40 peux endurer, quand il n'y a plus le moindre espoir, plus la plus légère possibilité, la plus fragile vraisemblance… cela nous arrive… un courage insensé, la noblesse, l'intelligence parviennent juste à temps à nous sauver…

Nathalie Sarraute, *Enfance*, Gallimard, 1983.

note

1. vétuste : ancienne, délabrée.

Pablo Picasso, *Autoportrait*, 1907.

Au fil du texte

Questions sur « Les classiques du XXe siècle » (pages 46 à 55)

AVEZ-VOUS BIEN LU ?

1. Quel est l'âge de Michel Leiris lorsqu'il rédige son autoportrait (p. 47 à p. 50) :
☐ 34 ans ☐ 54 ans ☐ 64 ans

2. Quelle est son activité principale ?

3. Dans quelle région du monde Michel Leiris a-t-il *« récemment »* voyagé ?

4. Où le jeune Jean-Paul Sartre admire-t-il les autres enfants en train de jouer (pp. 51-52) ?

5. Quel est le personnage de roman cité par Jean-Paul Sartre ?

6. Quel est l'âge de Jean-Paul Sartre dans cet extrait ?

7. Quel est le titre et qui est l'auteur du livre découvert dans *Enfance* (pp. 53-54) ?

8. Qui se moque de ce livre ? En citant quelle phrase ?

ÉTUDIER LE VOCABULAIRE ET LA GRAMMAIRE

9. Dans *L'Âge d'homme* (p. 47 à p. 50), relevez les phrases contenant des conjonctions de coordination qui introduisent la cause. Remplacez les propositions coordonnées par des propositions subordonnées de même sens.

10. Quels sont les temps utilisés dans les deux premiers paragraphes ?

11. Donnez le nom de la même famille que l'adjectif *« humiliante »* (p. 48, l. 32) et employez-le dans une phrase de votre choix.

12. Relevez dans l'extrait *L'Âge d'homme* (p. 47) les adjectifs qui contiennent un préfixe négatif.

13. Relevez dans l'extrait des *Mots* (pp. 51-52) les adjectifs qui valorisent les enfants observés.

14. Qu'est-ce qu'un *« gringalet »* (p. 52, l. 15) ?

15. Dans *Enfance* (p. 54, à partir de la ligne 22), de quel type sont les subordonnées introduites par *« où »* et quelle est leur fonction ?

16. Sur quel radical est formé le mot *« temporales »* (p. 48, l. 10) ?

17. Décomposez l'adjectif *« verdâtres »* (p. 54, l. 21-22) et donnez d'autres adjectifs formés de la même façon.

18. Donnez un synonyme de *« sarcasmes »* (p. 53, l. 9) et de *« séquestrée »* (p. 54, l. 37).

19. Quel est l'adjectif dérivé du nom propre Rocambole ? Que signifie-t-il ?

ÉTUDIER L'ORTHOGRAPHE

20. Dans *L'Âge d'homme* (p. 47 à p. 50), expliquez l'accord de ces participes passés :
« enflammé » (l. 15) ; *« appuyée »* (l. 38) ;
« abandonnés » (l. 44) ; *« publiés »* (l. 61).

21. *« le massacre de cent reîtres »* (*Les Mots*, p. 52, l. 36) : ajoutez un multiple devant « cent ». L'orthographe du mot « cent » change-t-elle ? Rappelez la règle pour l'accord de ce mot.

22. *« quant à moi »* (*Enfance*, p. 53, l. 10) : dans quel cas le mot « quant » prend-il un « t » ?

ÉTUDIER LE DISCOURS

23. Dans quel ordre Michel Leiris organise-t-il son autoportrait physique ?

24. Michel Leiris déclare avoir l'habitude de s'observer. Relevez une expression qui en témoigne.

25. Est-ce une activité louable selon le narrateur ? Justifiez votre réponse en relevant une ou deux expressions du texte.

26. À quel vocabulaire le mot *« perspective »* (p. 49, l. 51) est-il emprunté ? Par quel mot ou expression pourrait-on le remplacer dans le texte ?

27. *« Veux-tu que je parle à leurs mamans ? »* (p. 52, l. 31) : transformez cette phrase de Jean-Paul Sartre en une phrase au discours indirect, introduite par la formule : *« elle me demandait »*.

28. Dans *Enfance*, transformez l'intervention du père en discours indirect (de *« C'est de la camelote »*, p. 53, l. 9, jusqu'à *« des phrases grotesques »*, p. 53, l. 11-12).

ÉTUDIER LE GENRE : L'AUTOPORTRAIT

29. En quoi l'autoportrait de Michel Leiris est-il différent des précédents autoportraits de ce recueil ?

30. Expliquez cette phrase de Michel Leiris : *« un tableau de moi, peint selon ma propre perspective, a de grandes chances de laisser dans l'ombre certains détails »* (p. 49, l. 51-52).

Étudier l'écriture

31. Dans *Les Mots*, quels mots ou expressions montrent que l'enfant s'est formé une haute idée de lui-même dans son milieu familial ?

32. Au début du texte de Jean-Paul Sartre, relevez les mots qui indiquent l'importance du rôle du regard et dites ce qu'on peut en déduire.

33. Pourquoi la phrase citée par le père de Nathalie Sarraute est-elle *« grotesque »* ?

34. Nathalie Sarraute évoque une *« maison de province, vétuste, mal aérée, où il y avait partout des petits escaliers, des portes dérobées, des passages, des recoins sombres »* (p. 54, l. 24 à l. 26). Si l'on remplace cette maison par le mot « mémoire » qu'apporte la description ?

Lire l'image

35. Décrivez rapidement l'attitude et l'expression de Picasso dans le tableau p. 46. Quels sont les points communs et les différences que vous voyez entre cet autoportrait et celui de Dürer p. 8 ?

À vos plumes

36. Un jour un enfant interpelle Jean-Paul Sartre. Imaginez le dialogue qui s'engage et la scène qui en découle.

Dessin d'un enfant yougoslave
(« Papa, ne pars pas à la guerre »).

À l'épreuve des camps

Primo Levi, *Si c'est un homme*

Né en Italie à Turin en 1919, Primo Levi fit des études pour devenir chimiste, profession qu'il exerça après la Seconde Guerre mondiale. Son témoignage sur les camps de concentration, publié sous le titre Si c'est un homme, *va le révéler au grand public. D'abord édité en 1947, le livre n'eut aucun succès. Il fut réédité en 1958 et rencontra alors un succès très important. Récit autobiographique, ce livre raconte la vie des camps de concentration au quotidien. Il fut écrit dans l'urgence, après le retour de Levi en Italie, pour témoigner de l'horreur vécue. Si l'on considère qu'*« aucun des faits n'est inventé », *comme le dit l'auteur, le livre peut être lu comme un document bouleversant sur la cruauté humaine, sur l'inhumanité des bourreaux.*

Les jours se ressemblent tous et il n'est pas facile de les compter. J'ai oublié depuis combien de jours nous faisons la navette, deux par deux, entre la voie ferrée et l'entrepôt : une centaine de mètres de terrain en dégel, à l'aller écrasés

5 sous le poids de la charge, au retour les bras ballants, sans parler.

Autour de nous, tout est hostile. Sur nos têtes, les nuages mauvais défilent sans interruption pour nous dérober le soleil. De toutes parts, l'étreinte sinistre du fer en traction.
10 Nous n'avons jamais vu où ils finissent, mais nous sentons la présence maligne des barbelés qui nous tiennent séparés du monde. Et sur les échafaudages, sur les trains en manœuvre, sur les routes, dans les tranchées, dans les bureaux, des hommes et des hommes, des esclaves et des
15 maîtres, et les maîtres eux-mêmes esclaves ; la peur gouverne les uns, la haine les autres ; tout autre sentiment a disparu. Chacun est à chacun un ennemi ou un rival.

Non, pourtant : dans ce compagnon d'aujourd'hui, attelé avec moi sous le même fardeau, il m'est impossible de voir
20 un ennemi ou un rival.

C'est Null Achtzehn[1]. On ne lui connaît pas d'autre nom. Zéro dix-huit, les trois derniers chiffres de son matricule : comme si chacun s'était rendu compte que seul un homme est digne de porter un nom, et que Null Achtzehn n'est plus
25 un homme. Je crois bien que lui-même a oublié son nom, tout dans son comportement porterait à le croire. Sa voix, son regard donnent l'impression d'un grand vide intérieur, comme s'il n'était plus qu'une simple enveloppe, semblable à ces dépouilles[2] d'insectes qu'on trouve au bord des étangs,
30 rattachées aux pierres par un fil, et que le vent agite.

Null Achtzehn est très jeune, ce qui constitue un grave danger. Non seulement parce que les adolescents suppor-

notes

1. ***Null Achtzehn*** : 018 en allemand.
2. ***dépouilles*** : peau, enveloppe qui reste après la mue d'un insecte ou d'un serpent.

tent moins bien que les adultes les fatigues et les privations, mais surtout parce que, ici, pour survivre, il faut avoir accumulé une longue expérience de la lutte de chacun contre tous, que généralement les jeunes n'ont pas. Et même si Null Achtzehn n'est pas particulièrement éprouvé physiquement, personne ne veut travailler avec lui. Car tout lui est à ce point indifférent qu'il ne se soucie même plus d'éviter la fatigue et les coups, ni de chercher de quoi manger. Il exécute tous les ordres qu'on lui donne, et il est fort probable que lorsqu'on l'enverra à la mort, il ira avec la même indifférence.

Il lui manque l'astuce élémentaire des chevaux de trait, qui cessent de tirer un peu avant d'atteindre l'épuisement : il tire, il porte, il pousse tant qu'il en a la force, puis il s'écroule d'un coup, sans un mot d'avertissement, sans même lever de terre ses yeux tristes et éteints. Il me rappelle les chiens de traîneaux des livres de Jack London[1], qui peinent jusqu'au dernier souffle et meurent sur la piste.

Comme chacun de nous s'efforce par tous les moyens d'éviter les tâches les plus pénibles, il est clair que Null Achtzehn est celui qui travaille le plus ; et comme c'est un compagnon dangereux, chacun évite de travailler avec lui. Personne ne voulant par ailleurs travailler avec moi, parce que je suis faible et maladroit, il arrive souvent que nous nous retrouvions ensemble.

Primo Levi, *Si c'est un homme*, traduit de l'italien par Martine Schruoffeneger, Julliard, 1987.

note

1. Jack London : écrivain américain (1876-1916), auteur notamment de *Croc-Blanc* ou *L'Appel de la forêt*.

Robert Antelme, *L'Espèce humaine*

Arrêté par la Gestapo, Robert Antelme fut déporté en juin 1944. Jusqu'à la Libération, il sera prisonnier à Buchenwald, camp où fut aussi retenu Jorge Semprun. Témoignage poignant sur l'infamie des camps de concentration, L'Espèce humaine *est un livre important écrit dans les mois qui suivirent le retour. Il parut en 1947.* « La disproportion entre l'expérience que nous avions vécue et le récit qu'il était possible d'en faire » *est impossible à oublier ou à résorber, dit Robert Antelme. Il n'en reste pas moins que la précision de l'écriture rend compte de la barbarie et laisse au lecteur la possibilité d'imaginer le pire, même si l'horreur dépasse les mots et excède la pensée.*

Il doit y avoir quelques heures que je dors. Depuis un moment on entend des bruits rythmés. Ils sont distincts maintenant. *Auf, ab*[1] *! Auf, ab !* Une voix forte de maître de gymnastique. Elle vient d'en bas, de l'allée. Aucun bruit ne répond à cette voix. C'est une gymnastique que l'on commande. La lumière est allumée. L'Espagnol qui est à côté de moi a les yeux ouverts. D'autres copains, ici et là, soulèvent la tête, écoutent et se regardent sans parler. On retient presque la respiration. La porte de l'église est fermée. Il doit faire encore nuit.
Vlan ! une claque ; c'est bien une claque. On est réveillé. Ça cogne.
– *Auf, ab ! Auf, ab !*
La voix reprend plus violemment. Rien n'a répondu à la claque, aucune plainte.

note

1. ***Auf, ab !*:** haut, en bas !

Je me retire doucement de mon trou, j'essaie de regarder dans l'allée, à travers les interstices des planches qui contiennent la paille. Le jeune SS est adossé au mur, les jambes écartées, les mains dans les poches. C'est lui qui commande. Devant lui, trois copains en chemise et pantalon. Ils sont alignés et, les mains aux hanches, ils s'accroupissent et se lèvent au commandement du SS.

Un copain qui a la figure rouge s'arrête. Une claque. Il se relève, il fait deux fois le mouvement, il s'arrête encore. Un coup de pied dans les genoux. Le SS rigole et menace. Sa bouche est entrouverte, ses yeux lourds, il a l'air saoul. Les copains ont le visage décomposé, ils ne savent pas ce qu'on leur veut.

Un type qui revient de pisser en courant s'abat sur la paille à côté de nous.

– Il est saoul, dit-il à voix basse. Il y a une demi-heure qu'il est là… Il a piqué les gars qui allaient pisser pour leur faire faire le truc. Moi, il ne m'a pas vu.

À ce moment-là, un copain qui ne peut sans doute plus tenir et qui n'a pas compris de quoi il s'agit se lève pour aller pisser. Il court vers les chiottes.

– *Du, Du, komme hier, komme, komme !*[1] gueule le SS, et il lui montre les autres.

– *Los !*[2]

Et le type commence le mouvement. Je regarde l'Espagnol qui est sorti de son trou et a mis sa figure contre la planche. On est tenté par un rire nerveux ; quand on ne comprend pas, on peut rire (par exemple le jour de l'arrivée à

notes

1. Du, Du, komme hier, komme, komme ! : toi, toi, viens ici, viens, viens !
2. Los ! : allez.

Buchenwald, lorsqu'on a été déguisés et que venant de se
45 retrouver on ne se reconnaissait pas). Ils ont déjà réussi à
nous faire rire. On pourrait tous se mettre à rigoler, c'est
la folie, le jeu dément, on devrait rigoler. Il ne faut pas
comprendre, ce n'est pas la peine, c'est le jeu, sans fin, sans
raison, sans raison pour que ça finisse.

50 Les copains qui sont en bas sont atterrés. « Pourquoi la gymnastique ? Pourquoi les coups ? Qu'est-ce qu'on a fait ? »
Les copains n'ont que ça sur la figure : « Pourquoi ? » Ça
excite le SS. Il cogne. Deux sont par terre. Ils ne bougent
pas. Le SS fout des coups de pied. Ils recommencent ; ils sont
55 épuisés et désemparés. Nous, nous sommes derrière les
planches, sur la paille, à l'abri.

Parfois, le SS rigole en désignant comme pour lui-même
un type du doigt. Le type profite du rire du SS pour essayer
de lui faire croire qu'il pense bien que c'est du jeu, mais
60 qu'on pourrait peut-être s'arrêter. Alors le SS s'approche et
il claque. Le copain revient au jeu, il ne sait pas quand ça
s'arrêtera.

– *Auf, ab ! Auf, ab !*

Il continue.

Robert Antelme, *L'Espèce humaine*, Gallimard, 1957.

Jorge Semprun, *L'Écriture ou la vie*

Né à Madrid en 1923, Jorge Semprun s'exila à Paris avec sa famille à l'époque du franquisme triomphant et il y fit des études littéraires. Arrêté en 1943 pour ses activités dans la Résistance, il fut déporté à Buchenwald. Romancier, il a aussi écrit des livres autobiographiques comme L'Autobiographie de Federico Sanchez *(1978), pseudonyme que l'auteur adopta à l'époque où il menait des activités clandestines en Espagne contre le pouvoir de Franco. Dans* L'Écriture ou la vie, *Semprun raconte son difficile retour à la vie après l'expérience du camp de concentration. Écrit à la fin des années 1980, ce texte poignant fait resurgir cette époque douloureuse, impossible à oublier malgré les années, les aventures et les engagements d'une vie riche en événements.*

Ils sont sortis de la voiture à l'instant, il y a un instant. Ont fait quelques pas au soleil, dégourdissant les jambes. M'ont aperçu alors, se sont avancés.
Trois officiers, en uniforme britannique.
5 Un quatrième militaire, le chauffeur, est resté près de l'automobile, une grosse Mercedes grise qui porte encore des plaques d'immatriculation allemandes.
Ils se sont avancés vers moi.
Deux d'une trentaine d'années, blonds, plutôt roses. Le troi-
10 sième, plus jeune, brun, arbore un écusson à croix de Lorraine où est inscrit le mot « France ».
Je me souviens des derniers soldats français que j'ai vus, en juin 1940. De l'armée régulière, s'entend. Car des irréguliers, des francs-tireurs[1], j'en avais vu depuis : de nombreux.

note

1. *francs-tireurs* : résistants clandestins d'un mouvement d'obédience communiste.

15 Enfin, relativement nombreux, assez pour en garder quelque souvenir.
Au « Tabou », par exemple, dans le maquis[1] bourguignon, entre Laignes et Larrey.
Mais les derniers soldats réguliers de l'armée française, ce fut
20 en juin 1940, dans les rues de Redon. Ils étaient misérables, se repliant en désordre, dans le malheur, la honte, gris de poussière et de défaite, défaits. Celui-ci, cinq ans après, sous un soleil d'avril, n'a pas la mine défaite. Il arbore une France sur son cœur, sur la poche gauche de son blouson militaire.
25 Triomphalement, joyeusement du moins.
Il doit avoir mon âge, quelques années de plus. Je pourrais sympathiser.
Il me regarde, effaré d'effroi.
– Qu'y a-t-il ? dis-je, irrité, sans doute cassant.
30 Le silence de la forêt qui vous étonne autant ?
Il tourne la tête vers les arbres, alentour. Les autres aussi. Dressent l'oreille. Non, ce n'est pas le silence. Ils n'avaient rien remarqué, pas entendu le silence. C'est moi qui les épouvante, rien d'autre, visiblement.
35 – Plus d'oiseaux, dis-je, poursuivant mon idée. La fumée du crématoire[2] les a chassés, dit-on. Jamais d'oiseaux dans cette forêt…
Ils écoutent, appliqués, essayant de comprendre.
– L'odeur de chair brûlée, c'est ça !
40 Ils sursautent, se regardent entre eux. Dans un malaise quasiment palpable. Une sorte de hoquet, de haut-le-cœur.

Jorge Semprun, *L'Écriture ou la vie*, Gallimard, 1994.

notes

1. *maquis* : lieu peu accessible où se regroupaient les résistants pendant la Seconde Guerre mondiale.

2. *crématoire* : endroit où on brûle les corps.

« La peur en moi », dessin de Jovana, 6 ans, de Belgrade.

Au fil du texte

Questions sur « l'épreuve des camps » (pages 60 à 69)

Avez-vous bien lu ?

1. Que désigne *« Null Achtzehn »* dans le texte de Primo Levi (p. 61 à p. 63) ?

2. Primo Levi évoque un écrivain dans ce passage. Lequel ?

3. Quel bruit réveille le narrateur dans le texte de Robert Antelme (p. 64 à p. 66) ?

4. Qui martyrise les compagnons de Robert Antelme ?

5. De quelle nationalité est l'uniforme des officiers qui observent Jorge Semprun (pp. 67-68) ?

6. Selon Jorge Semprun, qu'est-ce qui a chassé les oiseaux de la forêt environnante ?

Étudier le vocabulaire et la grammaire

7. Relevez une subordonnée de conséquence dans le texte de Primo Levi (p. 61 à p. 63).

8. Que veut dire l'adjectif *« maligne »* (p. 62, l. 11) ? Donnez-en un synonyme.

9. Trouvez un synonyme du mot *« éprouvé »* (p. 63, l. 37) dans ce passage. Donnez un autre sens de ce verbe et employez-le dans une phrase de votre choix.

10. Relevez les subordonnées interrogatives indirectes dans le texte de Robert Antelme (p. 64 à p. 66), et donnez-en la fonction grammaticale.

11. Relevez les mots dans ce même texte qui appartiennent à un registre de langue* familier.

12. Donnez des synonymes du mot *«claque»* (p. 64, l. 11) appartenant à différents registres de langue.

13. Relevez les différents temps employés dans le texte de Jorge Semprun (pp. 67-68) et expliquez leur valeur.

14. Relevez deux mots antonymes* dans ce texte.

ÉTUDIER L'ORTHOGRAPHE

15. Dans le texte de Primo Levi, expliquez l'accord des verbes suivants *«cessent»* (p. 63, l. 45), *«peinent»* (p. 63, l. 49) et *«meurent»* (p. 63, l. 50).

16. *«Il y a une demi-heure qu'il est là»* (p. 65, l. 31-32): dans quel cas le mot *«demi»* prend-il un «e» et peut-il s'accorder?

17. Pourquoi *«dégourdissant»* (p. 67, l. 2) ne prend-il pas de «s»?

ÉTUDIER LE DISCOURS

18. Pourquoi Primo Levi a-t-il du mal à compter les jours au début du texte?

19. Relevez les éléments montrant la déshumanisation du compagnon de Primo Levi.

20. Pourquoi Null Achtzehn est-il un compagnon dangereux? Relevez les arguments énoncés par Primo Levi.

21. Relevez un passage où Robert Antelme montre le désarroi et l'incompréhension des victimes.

registre de langue: utilisation du langage en fonction de la situation d'énonciation et du locuteur.

antonyme: de sens contraire.

22. Relevez quelques répétitions utilisées par Jorge Semprun. Quel est l'effet recherché selon vous ?

23. Dans le texte de Semprun, relevez une expression que l'on peut appeler un modalisateur*.

ÉTUDIER LE GENRE : LE TÉMOIGNAGE

24. Le livre de Primo Levi raconte son expérience des camps de concentration. S'agit-il d'une autobiographie au sens propre ?

modalisateur : mot qui signale le doute ou l'hésitation du narrateur.

maxime : jugement d'ordre général.

phrases nominales : phrases sans verbe.

25. Où se trouve Robert Antelme dans ce passage ?

26. Antelme évoque dans ce passage un autre épisode de sa vie au camp : lequel ? Quel est le lien entre les deux scènes ?

27. Le texte est autobiographique : il respecte les faits et constitue un témoignage. La scène aurait-elle le même impact dans un livre de fiction ?

ÉTUDIER L'ÉCRITURE

28. Relevez les comparaisons utilisées par Primo Levi pour évoquer son compagnon de travail. Quel est leur point commun ?

29. Relevez deux phrases utilisées par Primo Levi pour commenter l'attitude de Null Achtzehn, qui ont une valeur de maxime* ou de réflexion générale.

30. Relevez des phrases nominales* dans le texte de Robert Antelme. Quel est l'effet provoqué ?

31. Y a-t-il beaucoup de liens logiques entre les phrases du texte de Robert Antelme ? Pourquoi selon vous ?

32. Jorge Semprun construit beaucoup de phrases avec des verbes sans sujet. Relevez-en différents exemples et donnez-en une explication.

33. Pourquoi le narrateur qualifie-t-il la scène de jeu (p. 66, l. 48) dans l'extrait de Robert Antelme ?

34. Relevez et expliquez l'utilisation des verbes au conditionnel dans ce passage de Robert Antelme.

LIRE L'IMAGE

35. Quel objet attire l'œil du spectateur dans le dessin p. 60 ? Montrez son importance dans le tableau en analysant sa représentation.

36. Quelle est l'attitude de l'enfant dans le tableau ? Quels sont les éléments qui créent une atmosphère tragique ?

À VOS PLUMES

37. Quelques années après la Libération, Robert Antelme retrouve par hasard un visage qu'il pense reconnaître... celui du S.S. qui martyrisait ses amis cette nuit-là. Imaginez la rencontre et le dialogue qui s'engage. Vous veillerez à préciser le contexte de la rencontre et à donner à l'ex-nazi une profession qui marque son retour à la «normalité».

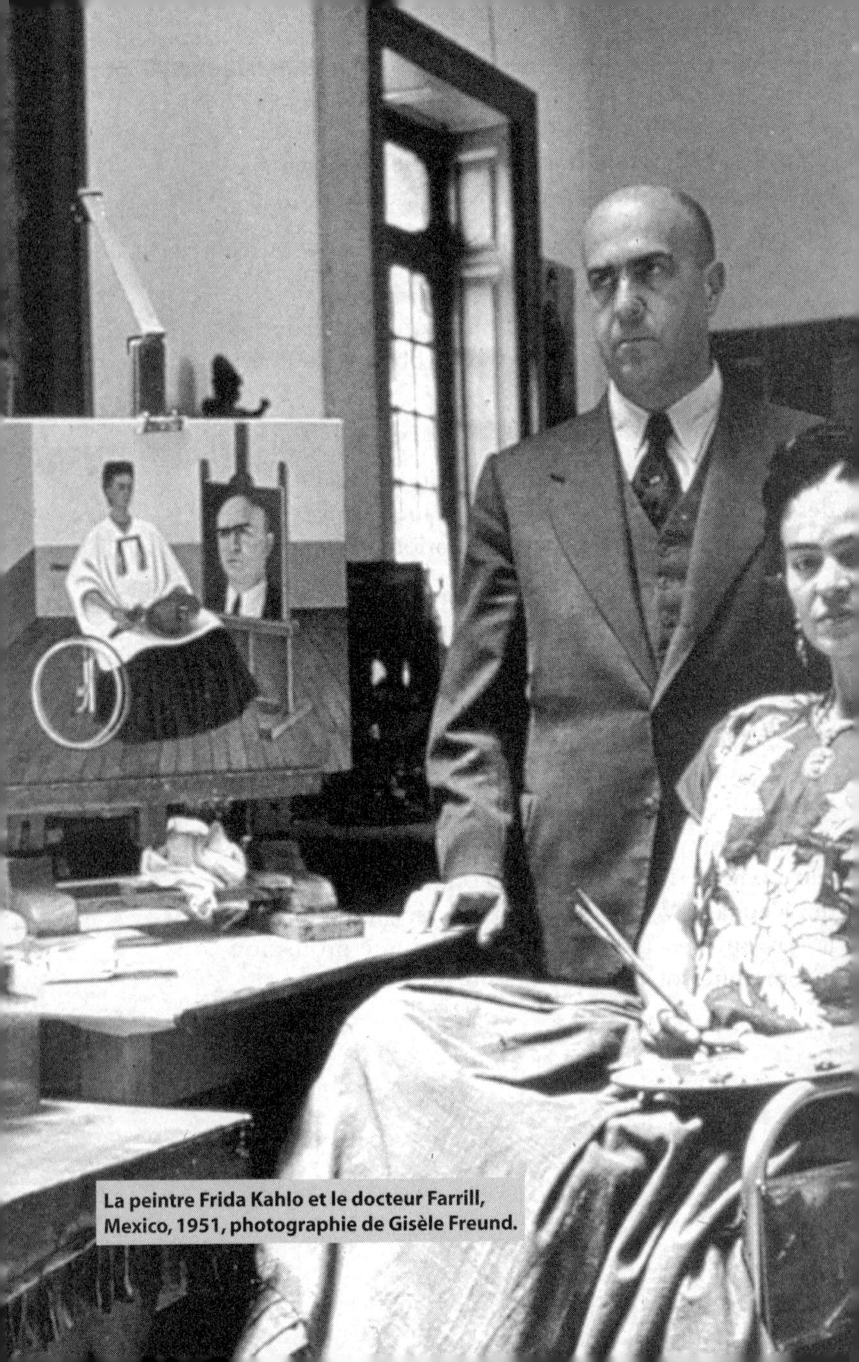

La peintre Frida Kahlo et le docteur Farrill, Mexico, 1951, photographie de Gisèle Freund.

Raymond Queneau, *Chêne et Chien*

Romancier, essayiste, poète, Raymond Queneau était un amoureux du langage toujours prêt à expérimenter de nouvelles formes dans des textes emplis de trouvailles. Célèbre pour ses romans (Loin de Rueil *en 1944, ou* Zazie dans le métro *en 1959), il a aussi publié des textes inclassables comme* Exercices de style *(1947 et 1963) qui propose 99 versions d'une même histoire. Virtuose du jeu de (et avec les) mots, Queneau a également écrit une autobiographie en vers :* Chêne et Chien *(1937). Ce texte est donc exceptionnel car il transgresse la règle qui voudrait qu'un récit autobiographique soit toujours en prose.*

Je naquis au Havre un vingt et un février
en mil neuf cent et trois.
Ma mère était mercière et mon père mercier :
ils trépignaient de joie.
5 Inexplicablement je connus l'injustice
et fus mis un matin

chez une femme avide et bête, une nourrice,
qui me tendit son sein.
De cette outre de lait j'ai de la peine à croire
10 que j'en tirais festin
en pressant de ma lèvre une sorte de poire,
organe féminin.
Et lorsque j'eus atteint cet âge respectable
vingt-cinq ou vingt-six mois,
15 repris par mes parents, je m'assis à leur table
héritier, fils et roi
d'un domaine excessif où de très déchus anges
sanglés dans des corsets
et des démons soufreux[1] jetaient dans les vidanges[2]
20 des oiseaux empaillés,
où des fleurs de métal de papier ou de bure[3]
poussaient dans les tiroirs
en bouquets déjà prêts à orner des galures[4]
spectacle horrible à voir.
25 Mon père débitait des toises[5] de soieries,
des tonnes de boutons,
des kilogs d'extrafort[6] et de rubanneries
rangés sur des rayons.
Quelques filles l'aidaient dans sa fade besogne
30 en coupant des coupons
et grimpaient à l'échelle avec nulle vergogne[7],
en montrant leurs jupons.
Ma pauvre mère avait une âme musicienne

notes

1. soufreux : pleins de soufre.
2. vidanges : égouts.
3. bure : grossière étoffe de laine brune.
4. galures : chapeaux.
5. toises : environ deux mètres.
6. extrafort : ruban dont on garnit les ourlets, les coutures.
7. vergogne : honte.

et jouait du piano ;
35 on vendait des bibis[1] et de la valencienne[2]
au bruit de ses morceaux.
Jeanne Henriette Évodie envahissaient la cave
cherchant le pétrolin,
sorte de sable huileux avec lequel on lave
40 le sol du magasin.
J'aidais à balayer cette matière infecte,
on baissait les volets,
à cheval sur un banc je criais « à perpette »
(comprendre : éternité).
45 Ainsi je grandissais parmi ces demoiselles
en reniflant leur sueur
qui fruit de leur travail perlait à leurs aisselles :
je n'eus jamais de sœur.

Raymond Queneau, « Je naquis au Havre… »,
in Chêne et Chien, Gallimard, 1937.

Georges Perec, *Je me souviens*

Né en 1936, Georges Perec est mort alors qu'il allait avoir 46 ans. Inventeur lui aussi de textes fantaisistes et de jeux avec le langage, mais aussi préoccupé par la mémoire, Georges Perec a beaucoup écrit sur son passé. Il a ainsi raconté son enfance pendant la guerre dans W ou le souvenir d'enfance, *œuvre qui juxtapose fiction et récit autobiographique.* Je me souviens, *publié en 1978, propose 480 souvenirs, sous la forme de fragments brefs qui, comme notre*

notes

1. bibis : petits chapeaux féminins. ***2. valencienne :*** dentelle fine.

mémoire qui ne hiérarchise pas les souvenirs, mêlent des détails insignifiants et des faits plus marquants. Les fragments qui suivent nous replongent dans l'univers de Perec et dans l'époque de sa jeunesse.

61

Je me souviens que *Les Noctambules* et le *Quartier latin*, rue Champollion, étaient des théâtres.

62

Je me souviens des scoubidous[1].

63

Je me souviens de « Dop Dop Dop, adoptez le shampooing Dop. »

64

Je me souviens comme c'était agréable, à l'internat, d'être malade et d'aller à l'infirmerie.

65

Je me souviens qu'à l'occasion de son lancement, l'hebdomadaire *le Hérisson* (« *le Hérisson* rit et fait rire ») donna un grand spectacle au cours duquel, en particulier, se déroulèrent plusieurs combats de boxe.

66

Je me souviens d'une opérette dans laquelle jouaient les Frères Jacques, et Irène Hilda, Jacques Pils, Armand Mestral

note

1. ***scoubidous :*** tresses que l'on faisait avec des brins de plastique multicolores.

et Maryse Martin. (Il y en eut une autre, des années plus tard, également avec les Frères Jacques, qui s'appelait la *Belle Arabelle*; c'est peut-être dans celle-là, et pas dans la première, qu'il y avait Armand Mestral).

67

Je me souviens que je devins, sinon bon, du moins un peu moins nul en anglais, à partir du jour où je fus le seul de la classe à comprendre que *earthenware* voulait dire « poterie ».

68

Je me souviens de l'époque où il fallait plusieurs mois et jusqu'à plus d'une année d'attente pour avoir une nouvelle voiture.

69

Je me souviens qu'à Villard-de-Lans j'avais trouvé très drôle le fait qu'un réfugié qui se nommait Normand habite chez un paysan nommé Breton. Des années plus tard, à Paris, j'ai ri tout autant de savoir qu'un restaurant appelé *le Lamartine* était célèbre pour ses chateaubriands[1].

70

Je me souviens des rubriques « Vrai ou faux ? », « Le saviez-vous ? », « Incroyable mais vrai » dans les journaux d'enfants.

Georges Perec, *Je me souviens*, Hachette Littératures, 1978.

note

1. chateaubriands : grillades de bœuf.

Patrick Chamoiseau, *Une enfance créole*

Né en 1953 en Martinique, Patrick Chamoiseau raconte son enfance à Fort-de-France dans un livre autobiographique, Une enfance créole, Antan d'enfance. *Si la plupart des écrivains racontent leur vie en utilisant la première personne, l'écrivain antillais rédige son histoire en utilisant la troisième personne : il décrit avec humour et tendresse la jeunesse du « négrillon » comme il se nomme lui-même, traçant au passage un portrait touchant de sa mère, Man Ninotte.*
Après avoir ratissé les canaux de la ville pour récolter quelques pièces, l'auteur et ses frères se rendent au cinéma, l'attraction favorite des après-midi dominicales.

Les trésors des canaux servaient surtout aux séances du cinéma-quatre-heures. L'après-midi du dimanche, la marmaille de la ville convergeait en file de fourmis folles vers le cinéma Pax, devant le presbytère[1]. Le négrillon était habillé comme pour un baptême, son short de laine grise, ses souliers noirs, sa chemise blanche des messes, sa raie tracée sur le côté. Dans un vent d'eau de Cologne, ses frères et lui, et le reste de la bande, descendaient. Il fallait arriver tôt car la bataille était rude. S'accrocher aux grilles de la porte et attendre pour la ruée. Pas de file patiente, ordonnée, respectueuse, mais un assaut sans quartier ni merci qui enveloppait la cage où un chabin[2] pas commode vendait ses tickets aux premiers arrivés. Le négrillon n'eut pas à batailler, Paul[3] ou quelque Grand s'en chargeait. Dans un

notes

1. ***presbytère :*** logement du curé dans une paroisse.
2. ***chabin :*** métis.
3. ***Paul :*** un des frères de l'auteur.

15 coin protégé, il assistait en compagnie des plus petits au bouillonnement terrible. L'attente était parfois cruelle. Paul pouvait émerger au guichet pour s'entendre dire qu'il n'y avait plus de places. Et plus de places signifiait que le moindre interstice[1], avec siège ou sans siège, était accablé 20 désormais d'une empilée de spectateurs.

Parvenu au guichet, le combattant-cinémateur prenait racine, et ses amis, frères, cousins, camarades, connaissances vagues, lui passaient leur argent et lui commandaient moult[2] tickets. Ainsi donc, chaque combattant extrayait du 25 guichet pas moins d'une dizaine de places. Cette pratique communautaire dégénérait parfois en système de pillage. On pouvait se trouver, de ce fait, à deux centimètres de la victoire et demeurer crucifié derrière un arrivé qui épuisait sans vergogne[3] les billets restants, à mesure que ses 30 généraux à trois mètres en arrière organisaient cyniquement cette odieuse mise à sac.

Patrick Chamoiseau, *Une enfance créole*,
tome I, *Antan d'enfance*, Gallimard, 1990.

notes

1. interstice : espace intermédiaire.
2. moult : de nombreux.
3. vergogne : honte, scrupule.

Au fil du texte

Questions sur « Formes originales » (pages 74 à 81)

Avez-vous bien lu ?

1. Où est né Raymond Queneau (p. 75 à p. 77) ?

2. Quelle était la profession de ses parents ?

3. Que sont les *« Noctambules »* et le *« Quartier Latin »* cités par Georges Perec (p. 78) ?

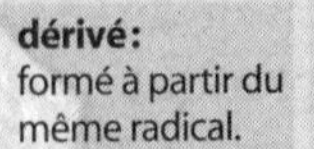

dérivé : formé à partir du même radical.

4. Où Georges Perec trouvait-il agréable d'aller quand il était à l'internat ?

5. Où les enfants décrits par Patrick Chamoiseau (pp. 80-81) récupèrent-ils de l'argent pour aller au cinéma ?

6. Dans quelle ville la scène décrite par Patrick Chamoiseau est-elle située ?

Étudier le vocabulaire et la grammaire

7. Quels sont les différents temps utilisés par Raymond Queneau ? Justifiez leur emploi.

8. Étudiez la construction des phrases dans *Chêne et Chien* (p. 75 à p. 77) en relevant et en donnant la fonction des différentes subordonnées relatives et d'une subordonnée conjonctive.

9. Relevez les différentes formes en «-ant» dans le texte de Raymond Queneau (p. 75 à p. 77) et donnez leur nature.

10. Quel est le sens du mot *« avide »* (p. 76, v. 7) ? Donnez le nom dérivé* de cet adjectif et employez-le dans une phrase de votre choix.

11. D'où vient le mot *« perpette »* (p. 77, v. 43) ? À quel registre de langue appartient-il ?

12. Décomposez le mot *« noctambules »* (p. 78, n° 61). Donnez d'autres mots formés à partir de la racine « noct », puis des mots dérivés de « ambulare ».

13. Quelle est l'origine du mot *« shampooing »* (p. 78, n° 63) ? Recherchez d'autres mots ayant la même origine étymologique.

14. Que désigne le mot *« chateaubriands »* (p. 79, n° 69) dans le texte ? Connaissez-vous d'autres noms propres qui sont devenus des noms communs ?

15. Quels sont les verbes qui ne sont pas conjugués à l'imparfait dans le texte de Patrick Chamoiseau ? Quelle est la valeur de l'imparfait dans ce texte ?

16. Expliquez les mots en gras dans l'expression : *« un assaut sans* ***quartier*** *ni* ***merci*** *»* (p. 80, l. 11).

17. Comment est composé le mot *« cinémateur »* (p. 81, l. 21) ? Comment appelle-t-on ce procédé de création d'un mot nouveau ?

ÉTUDIER L'ORTHOGRAPHE

18. Quelle est l'orthographe la plus commune du mot *« mil »* (p. 75, v. 2) ?

19. Le mot *« canaux »* (p. 80, l. 1) est le pluriel du mot « canal ». Connaissez-vous quelques noms en « -al » qui ne font pas leur pluriel en « -aux » ?

ÉTUDIER LE DISCOURS

20. Un premier souvenir peut en engendrer un second : trouvez deux exemples de ce processus dans le texte de Georges Perec.

21. Relevez dans *Je me souviens* (pp. 78-79), une modalisation* qui montre que la mémoire peut être vague.

22. À quoi servent les guillemets dans le texte de Georges Perec ?

23. Comment Patrick Chamoiseau est-il désigné dans le texte ? Ce nom a-t-il un sens péjoratif ?

ÉTUDIER LE GENRE : LE DISCOURS AUTOBIOGRAPHIQUE

modalisation : formule qui indique l'hésitation, le doute du narrateur.

périphrase : figure qui consiste à exprimer une notion en utilisant plusieurs mots ; par exemple, « le roi des animaux », pour dire le lion.

24. La forme poétique employée par Raymond Queneau est-elle fréquente dans le genre autobiographique ? Pourquoi selon vous ?

25. Quels sont les principaux souvenirs évoqués par Raymond Queneau ?

26. Quels éléments permettent de situer l'âge de Georges Perec ?

27. En vous appuyant sur la définition de l'autobiographie donnée page 110, dites en quelle mesure le texte de Georges Perec diffère d'une autobiographie.

28. Le narrateur du texte de Patrick Chamoiseau est à la troisième personne.
a. Cela est-il fréquent dans les textes autobiographiques ? Pourquoi ?
b. Certains mémorialistes ont utilisé le « il » pour retracer leur expérience, notamment militaire. Cherchez un exemple.

ÉTUDIER L'ÉCRITURE

29. Relevez deux périphrases* désignant le sein dans *Chêne et Chien*.

30. Relevez deux jeux de mots ou deux traits d'humour de Raymond Queneau.

31. Relevez deux exemples d'allitération* et d'assonance* dans le poème de Raymond Queneau.

32. Dans le texte de Georges Perec, combien de phrases composent le fragment* le plus long et le fragment le plus bref?

33. Dans le dernier paragraphe du texte de Patrick Chamoiseau, p. 81, relevez les mots qui appartiennent au champ lexical* de la guerre. Qu'indiquent-ils ?

LIRE L'IMAGE

34. Comment est composée la photo de Gisèle Freund p. 74 ? S'agit-il, selon vous, d'un portrait improvisé ou d'une photo mise en scène par la photographe ?

35. Dans le tableau, la palette a été remplacée par un cœur. Pourquoi selon vous ?

À VOS PLUMES

36. Comme Raymond Queneau, racontez votre première enfance dans un texte poétique commençant par : « Je naquis... »

37. Composez une suite de vingt souvenirs de votre enfance en commençant par la formule : « je me souviens » et en variant la longueur des textes.

allitération : répétition d'un son consonantique (consonne).

assonance : répétition d'un son vocalique (voyelle).

fragment : partie.

champ lexical : ensemble des mots qui se rapportent à un même sujet.

Charles Baudelaire,
Autoportrait
(1821-1867).

Victor Hugo, *Choses vues*

À partir de 1830, Victor Hugo accumula des notes et des documents sur la vie politique et mondaine qu'il pouvait observer de près. Il commença ensuite un journal plus intime à partir de juillet 1846. Tous ces textes, notes, fragments et feuilles dispersées, qui brossent un portrait passionnant de la société de l'époque, furent rassemblés, après la mort de l'auteur en 1885, et publiés sous le titre Choses vues *à partir de 1887. Dans ce recueil disparate, l'auteur des* Misérables *commente les événements, raconte ses expériences et jette un regard souvent critique ou insolent sur les mœurs de la bonne société contemporaine. On y retrouve la sensibilité particulière d'un écrivain révolté par la misère et la cruauté humaine, par l'injustice et l'arrogance des puissants. Les textes choisis ont été rédigés en 1847 et en 1848.*

2 janvier [1847].

Cette nuit, à deux heures du matin, je revenais par le boulevard. La lune était pleine et claire. Il faisait un froid de

6 degrés. Pas une nuée[1] au ciel. Les rares passants qui allaient aux bals masqués, ou qui en revenaient, se hâtaient, le nez dans leurs manteaux et les yeux pleurant à cause de la bise. Au coin de la rue Poissonnière, il y avait une charrette à bras chargée d'oranges et éclairée d'une chandelle, pauvre boutique portative qui attendait le jour. Trois êtres étaient là, assis sur des pliants. Un vieux homme et deux vieilles femmes enveloppés dans des couvertures grises et des haillons de laine déchiquetés et troués, le chapeau et les coiffes sur les yeux, les pieds sur les dalles. Les pauvres gens gardaient leur marchandise jusqu'à ce que le matin leur amenât des chalands[2]. Ils allaient passer là toute la nuit. Ils avaient encore cinq heures à attendre dans le givre et dans l'obscurité. Ils causaient. Ce qu'ils disaient, je l'ignore. Seulement, au moment où je passais, j'ai entendu ces paroles prononcées par une des vieilles : « Tout ce que fait le bon Dieu est bien fait. »

18 septembre [1847].

Voici quels sont, en cet an 1847, les plaisirs des baigneurs riches, nobles, élégants, intelligents, spirituels, généreux et distingués de Spa[3].

1° Emplir un baquet d'eau, y jeter une pièce de vingt sous, appeler un enfant pauvre et lui dire : Je te donne cette pièce si tu la prends avec les dents. L'enfant plonge sa tête dans l'eau, étouffe, étrangle, sort tout mouillé et tout grelottant avec la pièce d'argent dans sa bouche. Et l'on rit. C'est charmant.

notes

1. nuée : gros nuage. ***2. chalands :*** clients. ***3. Spa :*** station thermale réputée en Belgique.

2° Prendre un porc, lui graisser la queue et parier à qui la
30 tiendra le plus longtemps dans ses mains, le porc tirant de son côté, le gentilhomme du sien. Dix louis, vingt louis, cent louis.

On passe des journées à ces choses.

Cependant l'ancienne Europe s'écroule, les jacqueries[1] ger-
35 ment dans les fentes et les lézardes du vieil ordre social ; demain est sombre et les riches sont en question dans ce siècle comme les nobles au siècle dernier.

Mai [1848].

La proclamation de l'abolition de l'esclavage[2] se fit à la Guadeloupe avec solennité. Le capitaine de vaisseau Layrle[3],
40 gouverneur de la colonie, lut le décret de l'Assemblée du haut d'une estrade élevée au milieu de la place publique et entourée d'une foule immense. C'était par le plus beau soleil du monde.

Au moment où le gouverneur proclamait l'égalité de la race
45 blanche, de la race mulâtre[4] et de la race noire, il n'y avait sur l'estrade que trois hommes, représentant pour ainsi dire les trois races : un blanc, le gouverneur ; un mulâtre qui lui tenait le parasol ; et un nègre qui lui portait son chapeau.

Victor Hugo, *Choses vues*, 1887-1899.

notes

1. jacqueries : révoltes paysannes.
2. abolition de l'esclavage : le décret sur l'abolition de l'esclavage fut adopté grâce à Victor Schœlcher, député de la Guadeloupe et de la Martinique, après la Révolution de 1848.
3. Layrle : gouverneur de la Guadeloupe en 1848.
4. mulâtre : métis d'origine blanche et noire.

Anne Frank, *Journal*

Commencé le 14 juin 1942, alors qu'Anne Frank fête ses 13 ans, le Journal *se termine en août 1944. Jeune fille juive, Anne vit avec ses parents et sa sœur Margot à Amsterdam, en Hollande, quand les persécutions antisémites menées par la Gestapo commencent. La famille est obligée de se cacher dans l'annexe d'une maison et de vivre dans la clandestinité et la promiscuité. C'est cette vie recluse que relate le* Journal *d'Anne Frank, avec ses peurs quotidiennes et ses joies furtives. Journal intime, ce livre laisse une large place aux confidences, aux sentiments exacerbés et aux révoltes d'une adolescente tourmentée. La jeune fille et sa famille furent arrêtées le 4 août 1944, puis déportées à Auschwitz en septembre. Après son transfert au camp de Bergen-Belsen, Anne Frank mourra dans les premiers mois de 1945. Dans cette page, Anne se confie à Kitty, une amie imaginaire avec laquelle elle dialogue tout au long de son Journal.*

Samedi 15 juillet 1944.

Chère Kitty,
[...]
J'ai un trait de caractère particulièrement marqué, qui doit frapper tous ceux qui me connaissent depuis un certain
5 temps : ma connaissance de moi-même. Je peux étudier tous mes actes comme s'il s'agissait d'une étrangère. Sans aucun préjugé et sans une foule d'excuses toutes prêtes, je me place en face de l'Anne de tous les jours et observe ce qu'elle fait de bien, de mal. Cette conscience de moi-même
10 ne me quitte pas et à chaque mot que je prononce, je sais au moment précis où je le dis : « Il aurait fallu m'exprimer autrement », ou : « C'est très bien comme cela ! », je me juge sévèrement sur une quantité de choses et je m'aperçois de

plus en plus à quel point les paroles de Papa étaient justes : « Chaque enfant doit s'éduquer lui-même. »
Les parents ne peuvent que donner des conseils ou de bonnes indications, le développement ultime de la personnalité d'un individu repose entre ses propres mains. À part cela, j'ai un courage de vivre exceptionnel, je me sens toujours si forte et capable d'endurance, si libre et si jeune ! Quand j'en ai pris conscience, j'étais heureuse car je ne crois pas que je courberai vite la tête sous les coups que chacun doit subir.
Mais j'ai déjà tant parlé de ces choses-là, aujourd'hui je veux juste aborder le chapitre : Papa et Maman ne me comprennent pas. Mon père et ma mère m'ont toujours beaucoup gâtée, ont été gentils envers moi, m'ont défendue face à ceux d'en haut et ont fait, en somme, tout ce qui était en leur pouvoir de parents. Pourtant, je me suis longtemps sentie terriblement seule, exclue, abandonnée, incomprise ; Papa a essayé tous les moyens possibles pour tempérer ma révolte, rien n'y faisait, je me suis guérie toute seule, en me confrontant moi-même à mes erreurs de conduite. Comment se fait-il que Papa ne m'ait jamais été d'aucun soutien dans ma lutte, qu'il soit tombé tout à fait à côté quand il a voulu me tendre la main ? Papa n'a pas employé le bon moyen, il m'a toujours parlé comme à une enfant qui devait traverser une crise de croissance difficile. C'est drôle à dire, car personne d'autre que lui ne m'a donné le sentiment d'être raisonnable. Mais il a cependant négligé une chose, il ne s'est pas aperçu qu'à mes yeux, ma lutte pour dominer la situation primait tout le reste. Je ne voulais pas entendre parler d'« âge ingrat », d'« autres filles », de « tout finira par s'arranger », je ne voulais pas être traitée comme une fille semblable à toutes les autres mais comme Anne

telle qu'elle est, et Pim ne le comprenait pas. D'ailleurs, je ne peux pas accorder ma confiance à quelqu'un qui ne se confie pas pleinement et comme je ne sais rien de Pim, je ne pourrai pas m'engager dans la voie d'une relation intime
50 entre nous, Pim adopte toujours le rôle du père plein de maturité, ayant lui aussi éprouvé ces mêmes penchants passagers, mais qui, face aux problèmes des jeunes, ne peut plus se placer sur le plan de l'amitié, même en se donnant beaucoup de mal. Aussi ai-je décidé de ne plus confier à
55 personne d'autre qu'à mon journal et de temps en temps à Margot mes conceptions sur la vie et mes théories mûrement réfléchies. J'ai caché à Papa tout ce qui me troublait, je ne lui ai jamais fait part de mes idéaux, je l'ai volontairement et consciemment écarté de moi.

Anne Frank, *Journal*, trad. Ottoh Frank et Mirjam Bressler, Calmann-Lévy, 1992.

Albert Cohen, *Carnets 1978*

Né en 1895 à Corfou, Albert Cohen publia plusieurs romans dont le plus célèbre, Belle du Seigneur, *parut en 1968. Il est l'auteur d'un livre autobiographique consacré essentiellement à sa mère,* Le Livre de ma mère *(1954). Quelque temps avant sa mort (en 1981), alors qu'il était déjà âgé, Albert Cohen rédigea un journal intime qu'il publia :* Carnets 1978. *Dans ce testament littéraire, l'auteur plonge dans son passé le plus lointain, ressuscite les personnages de son enfance et médite sur l'existence, Dieu ou l'écriture.* Carnets 1978 *offre aussi le bilan d'une vie et l'émotion côtoie souvent une lucidité terrible : dans la pleine conscience de sa mort prochaine, l'écrivain jette un regard lumineux sur les misères, les réussites et les échecs de sa vie.*

Cinq janvier

Ma sainte mère pauvreté se levait à cinq heures et demie du matin, cependant qu'en une croisière autour du monde une dame millionnaire dormait en bavant un sourire dans sa cabine de luxe. Ma mère, elle, descendait au magasin, tra-
5 vaillait, travaillait, courbée, et je ne veux pas dire son travail, travaillait, puis remontait au troisième étage pour balayer l'appartement et faire la cuisine puis redescendait au magasin, travaillait, travaillait, et son pauvre cœur se détraquait, cependant qu'en son lit ladite dame millionnaire savourait
10 le petit-déjeuner apporté par sa femme de chambre personnelle, souriante et dévouée, et dans la famille depuis vingt ans.
Ma mère redescendait au magasin, remontait, redescendait, travaillait, travaillait, allait faire les courses, revenait, déplaçait
15 les lourdes caisses, travaillait, travaillait, tandis qu'en de

nobles demeures de charmantes jeunes filles, spiritualistes parce que rentées[1], remplissaient de thé leurs nobles vessies et discutaient de musique ou de littérature ou de merveilles d'âme ou, munies de leurs postérieurs fendus en deux, se
20 préparaient à faire un élégant tour à cheval. Tout cela est si noble que j'en crève.
Elle travailla, travailla, la reine esclave sans musique, sans littérature et sans chevaux de race, travailla, travailla, puis remonta me soigner, puis redescendit, puis remonta pen-
25 dant des années et des années. Vive Dieu qui aime tant ses chères créatures, qui a aimé, paraît-il, ma mère tout autant que les jeunes filles rieuses en leurs splendides parcs allongées, et tout autant qu'une méchante personne prieuse qui humilia ma mère et fut heureuse jusqu'à la fin de sa dévote
30 vie et son départ vers la céleste éternité, où elle fut reçue avec les honneurs dus à une dame de la bonne société.

Albert Cohen, *Carnets 1978*, Gallimard, 1979.

note

1. rentées : qui ont des rentes.

Au fil du texte

Questions sur « Le journal intime » (pages 86 à 94)

Avez-vous bien lu ?

1. À quoi s'occupent les riches vacanciers à Spa en 1847 (p. 87 à p. 89) ?

2. Quelle est l'île où est situé le dernier extrait de *Choses vues* et que proclame son gouverneur ?

3. En quelle année est rédigé cet extrait du *Journal* d'Anne Frank (p. 90 à p. 92) ?

4. Qui traite Anne Franck comme une enfant ?

5. À quelle heure se levait la mère d'Albert Cohen (pp. 93-94) ?

6. Quel animal est évoqué dans le texte d'Albert Cohen et pourquoi ?

Étudier le vocabulaire et la grammaire

7. Relevez dans les extraits de *Choses vues* : une subordonnée conjonctive de temps, une subordonnée conjonctive de condition et une tournure restrictive.

8. Donnez l'origine du mot *« gentilhomme »* (p. 89, l. 31), puis expliquez ce titre d'une pièce de Molière : *Le Bourgeois gentilhomme.*

9. Dans les phrases du journal d'Anne Frank ci-dessous :
- indiquez la nature grammaticale du mot en gras ;
- précisez le lien logique qu'il introduit ;
- remplacez-le par un autre terme ayant la même signification.

– « *Quand j'en pris conscience, j'étais heureuse car je ne crois pas que je courberai vite la tête sous les coups que chacun doit subir.* » (p. 91, l. 21-23) ;
– « ***Pourtant****, je me suis longtemps sentie terriblement seule, exclue, abandonnée, incomprise* [...] » (p. 91, l. 29-30) ;
– « *Papa a essayé tous les moyens possibles* ***pour*** *tempérer ma révolte* [...] » (p. 91, l. 31-32).

10. Quel est le mot de liaison repris dans chacune des deux phrases du premier paragraphe du texte d'Albert Cohen ? Quelle relation logique introduit-il ?

locution : groupe de mots.
péjoratives : dépréciatives, défavorables.
préfixe : élément qui précède le radical dans un mot dérivé.
oxymore : figure de style qui consiste à rapprocher deux mots de sens contradictoires. Ex. : obscure / clarté.

11. Quelle est la valeur de l'imparfait dans ce texte ?

12. Quelle locution* traduit l'opposition dans le deuxième paragraphe du texte d'Albert Cohen ? Remplacez-la par une locution de même signification.

13. Relevez deux expressions péjoratives* dans les deux premiers paragraphes des *Carnets 1978*. À propos de qui sont-elles employées ? Quelle impression donnent-elles au lecteur ?

14. Quel est le préfixe* répété pour qualifier le travail de la mère d'Albert Cohen dans le deuxième paragraphe. Pourquoi selon vous ?

15. Trouvez un exemple d'oxymore* dans le texte d'Albert Cohen.

ÉTUDIER L'ORTHOGRAPHE

16. Expliquez l'orthographe de « *amenât* » (*Choses vues*, p. 88, l. 14).

17. « *Paraît-il* » (p. 94, l. 26) : dans quel cas le verbe « paraître » prend-il un accent circonflexe ?

ÉTUDIER LE DISCOURS

18. Transformez la dernière phrase du premier extrait de *Choses vues* (p. 88) en discours indirect*.

19. Dans *Carnets 1978*, relevez deux présents d'énonciation qui montrent des intrusions du narrateur* dans la description.

20. À qui Albert Cohen oppose-t-il sa mère? Quel est le point commun de ces contre-modèles?

ÉTUDIER LE GENRE: LE JOURNAL INTIME

21. Justifiez le titre *Choses vues*.

22. Comment distingue-t-on une autobiographie et un journal intime?

23. Quelle différence voyez-vous entre le texte d'Anne Frank et ceux de Victor Hugo? Lequel est, selon vous, le plus représentatif du journal intime et pourquoi?

ÉTUDIER L'ÉCRITURE

24. Dans le premier extrait de *Choses vues* (pp. 87-88), quels adjectifs soulignent la pauvreté des gens près de la charrette?

25. Quels éléments rendent plus difficile leur veillée?

26. Dans le second extrait de *Choses vues* (pp. 88-89), relevez une énumération.

27. Expliquez la comparaison* finale (p. 89).

discours indirect: discours rapporté avec un mot introducteur après un verbe de parole.

narrateur: celui qui raconte.

comparaison: rapprochement entre deux éléments.

28. Relevez les répétitions dans le texte d'Albert Cohen. Un mot est repris de nombreuses fois, lequel et pourquoi ?

29. Comment la mère est-elle qualifiée dans le texte d'Albert Cohen (pp. 93-94) ?

LIRE L'IMAGE

30. Que pensez-vous du commentaire fait par Baudelaire sur son autoportrait p. 86 ?

31. Quelle est la technique utilisée par Baudelaire pour cet autoportrait ? Comparez-la avec l'autoportrait d'un peintre.

À VOS PLUMES

32. À votre tour, écrivez deux ou trois scènes courtes mettant en évidence une injustice ou une absurdité.

33. Écrivez une page du journal d'Anne Frank où elle raconte ses peurs et livre ses réflexions sur l'antisémitisme.

Hippolyte Bayard, *Double autoportrait de profil* (1801-1887).

Retour sur l'œuvre

Rendez à César...

Retrouvez l'auteur de chacune de ces citations.

1. *« Le trait le plus marquant de mon caractère* […] *est la connaissance de moi-même. »*

☐ Anne Frank ☐ Montaigne
☐ Rousseau ☐ Albert Cohen

2. *« quoique j'eusse l'esprit assez orné, n'ayant jamais vu le monde, je manquais totalement de manières, et mes connaissances, loin d'y suppléer, ne servaient qu'à m'intimider davantage »*

☐ saint Augustin ☐ Montaigne
☐ Rousseau ☐ Victor Hugo

3. *« Je me juge d'ordinaire profondément inélégant »*

☐ Rousseau ☐ Chateaubriand
☐ Leiris ☐ Stendhal

4. *« J'ai horreur de me voir à l'improviste dans une glace car, faute de m'y être préparé, je me trouve à chaque fois d'une laideur humiliante. »*

☐ Stendhal ☐ Perec
☐ Montaigne ☐ Leiris

5. *« Je me souviens comme c'était agréable, à l'internat, d'être malade et d'aller à l'infirmerie. »*

☐ Chamoiseau ☐ Perec
☐ Leiris ☐ Montaigne

6. *« la constance n'est rien d'autre qu'une oscillation alanguie. »*

☐ La Rochefoucauld ☐ Montaigne
☐ Rousseau ☐ George Sand

7. *« les adolescents supportent moins bien que les adultes les fatigues et les privations »*

☐ Levi ☐ saint Augustin
☐ Semprun ☐ Sartre

8. *« Je veux montrer à mes semblables un homme dans toute la vérité de la nature ; et cet homme ce sera moi. »*

☐ Montaigne ☐ Rousseau
☐ Chateaubriand ☐ Stendhal

9. *« La source la plus vivante et la plus religieuse du progrès de l'esprit humain, c'est, pour parler la langue de mon temps, la notion de* solidarité. *»*

☐ Rousseau ☐ Jorge Semprun
☐ George Sand ☐ Montaigne

10. *« Inexplicablement je connus l'injustice / et fus mis un matin / chez une femme avide et bête, une nourrice, / qui me tendit son sein. »*

☐ Rousseau ☐ Queneau
☐ Perec ☐ Levi

L'homme et l'œuvre

11. Rendez à chaque écrivain l'ouvrage qu'il a publié.

Rousseau •	• *Je me souviens*
Chateaubriand •	• *L'Écriture ou la vie*
Georges Perec •	• *Les Confessions*
Jorge Semprun •	• *Vie de Henry Brulard*
Robert Antelme •	• *Mémoires d'outre-tombe*
Michel Leiris •	• *L'Âge d'homme*
Stendhal •	• *L'Espèce humaine*
Albert Cohen •	• *Les Mots*
Jean-Paul Sartre •	• *Enfance*
Nathalie Sarraute •	• *Carnets 1978*

Attention détails

Quel écrivain évoque ce détail ?

12. Une naissance au Havre en 1903.

13. Le matricule Null Achtzehn.

14. Un roman de Ponson du Terrail intitulé *Rocambole*.
15. Un héros de cape et d'épée nommé Pardaillan.
16. Le cinéma Pax, près du presbytère.
17. Un nid de pie perché à la cime d'un orme.
18. Des scoubidous.
19. Une grosse Mercedes grise avec des plaques d'immatriculation allemandes.
20. Un S.S. qui donne des coups de pied.
21. Un professeur de latin désagréable.

Les lieux

22. Dans quel texte évoque-t-on ces lieux ?

Grenoble	Spa
La Guadeloupe	L'Afrique tropicale
Annecy	Le Maquis bourguignon
La rue Champollion	Le Mont-Dol
La Martinique	Le jardin du Luxembourg

Histoires de famille

Dans quel ouvrage rencontre-t-on ces personnages ?

23. Une mère grande et belle qui promène son fils dans un jardin.
24. Un père qui se moque des lectures de sa fille.
25. Un père qui débite des toises de soieries.
26. Une mère qui joue du piano.
27. Un frère qui bataille pour des tickets de cinéma.
28. Une mère qui se lève à cinq heures et demie pour travailler.
29. L'oncle Bernard appelé en renfort.
30. La tante Séraphie qui n'apprécie pas vraiment son neveu.
31. Un grand-père protecteur qui est comparé à Fontenelle.

Dossier
Bibliocollège

L'invention d'un genre nouveau

Le mot « autobiographie » apparaît en Angleterre vers 1800 et se diffuse en Europe dans la première moitié du XIXe siècle. En France, on le retrouve comme un synonyme du terme « mémoires » en 1842. Progressivement, il va toutefois se distinguer des « mémoires » pour désigner un genre littéraire à part : dans une autobiographie, l'auteur raconte surtout sa propre vie, et son témoignage sur des événements historiques est secondaire. Même si Rousseau (voir p. 21) n'invente pas l'autobiographie, la publication des *Confessions* est un événement exceptionnel dans l'histoire du genre : jamais un écrivain n'avait été aussi loin dans la description de son éducation enfantine, de ses expériences intimes, de ses erreurs et de ses relations aux autres. Le texte fit scandale et l'on reprocha à Rousseau son absence de scrupules et de pudeur.

En rendant publique sa vie et en exposant ses pensées secrètes, il avait pris des risques et créé un modèle. Toute

Yan,
Autoportrait.

Dates clés

1782 : publication des *Confessions* de Rousseau (livres I à VI).

autobiographie réussie est en effet un pari audacieux qui défie les règles de la discrétion pour dévoiler les secrets de l'intimité et les pensées les plus personnelles.
Mais pourquoi l'autobiographie mit-elle si longtemps à se constituer en genre ? N'y avait-il pas avant Rousseau des textes autobiographiques ?

L'AUTOBIOGRAPHIE SPIRITUELLE

• L'autobiographie religieuse

La première tradition dont hérite Rousseau est celle de l'autobiographie religieuse. Le titre qu'il choisit est un hommage à ce courant et le préambule (voir p. 22) où l'écrivain du XVIIIe siècle convoque Dieu pour sceller son *pacte autobiographique* et imaginer son « *jugement dernier* » peut rappeler les *Confessions* de saint Augustin (p. 9). En effet, l'œuvre de saint Augustin peut être considérée comme l'ancêtre de l'autobiographie bien que chez lui le récit soit écrit dans une perspective essentiellement religieuse. Même si le dialogue avec Dieu et les réflexions sur la religion prennent de plus en plus le pas au fil de l'ouvrage sur le récit de sa vie menée, il raconte son enfance et les étapes décisives de sa formation et de son itinéraire intellectuel.
Cette autobiographie spirituelle n'est pas la seule. Au XVIe siècle, sainte Thérèse d'Avila, une religieuse espagnole, raconte son itinéraire spirituel depuis son enfance jusqu'à la fondation d'un monastère dans *Le Livre de ma vie* ou *Le Livre des miséricordes de Dieu*.
En France, les autobiographies religieuses, souvent posthumes, vont fleurir au XVIIe siècle, mais elles n'atteindront pas la densité des deux récits déjà mentionnés.

• L'autobiographie « laïque »

Au XVIIIe siècle, la religion catholique fait l'objet de critiques de la part des philosophes des Lumières. La domination de l'Église sur les esprits laisse la place à une pensée plus autonome : les intellectuels ne se soumettent plus aux dogmes du catholicisme. Le discours est moins imprégné de références religieuses ; il devient plus laïc, soucieux de décrire le fonctionnement des sociétés et les rapports des hommes entre eux.

C'est dans ce contexte qu'écrit Rousseau. Dans son autobiographie, le dialogue avec Dieu est remplacé par un dialogue avec les lecteurs contemporains. L'autobiographie moderne n'est plus seulement l'histoire d'une conversion et d'une révélation, elle est le récit d'une vie tourmentée, d'une vie au sein de la société des hommes.

Dates clés

1370-1400 : *Chroniques* de Froissart.

1489-1498 : *Mémoires* de Philippe de Commynes.

LES MÉMOIRES

• Chroniques et mémoires : des témoignages sur l'histoire

Au Moyen Âge, des textes sont écrits pour témoigner d'événements historiques importants.

Ce sont par exemple les *Chroniques* de Froissart (vers 1370-1400) ou les *Mémoires* de Philippe de Commynes (1489-1498).

Ce dernier décrit des événements auxquels son statut de conseiller du roi Louis XI lui a permis d'assister.

Avec ces ouvrages, les auteurs font œuvre d'historiographe, c'est-à-dire qu'ils fournissent des documents de première main pour la compréhension des événements et le travail des historiens. Utilisant abondamment, mais non exclusivement, la première personne, ces livres ne racontent cependant pas la vie de leur auteur, tout au plus des épisodes de leur vie pendant lesquels ils ont participé à des événements importants ou pu observer les coulisses du pouvoir. Au XVIIe siècle le cardinal de Retz écrit ses *Mémoires*, au XVIIIe Saint-Simon publie aussi des *Mémoires*.

• L'évolution vers un témoignage personnel

Une évolution apparaît tout de même et la dimension autobiographique de ces ouvrages est de plus en plus évidente : ces écrivains ne sont pas seulement des témoins de l'histoire, ils en sont aussi des acteurs de premier plan et leur propre rôle est davantage évoqué. Le cardinal de Retz, par exemple, prétend non seulement donner son témoignage sur les événements, il veut aussi « *donner l'histoire de sa vie* », expliquer son engagement, son point de vue, ses conceptions politiques, ses goûts et ses passions.

À la même époque apparaissent aussi des Mémoires où le témoignage historique se fait plus modeste : il ne s'agit plus de décrire la vie des hommes illustres mais de donner un point de vue personnel sur des événements moins importants.

Progressivement un double glissement s'opère donc dans ce genre précurseur de l'autobiographie : les auteurs parlent davantage d'eux-mêmes, ils évoquent leur vie privée dans des textes destinés à relater la vie publique. D'autre part, le genre se démocratise : ce ne sont plus seulement les hauts dignitaires de l'État qui apportent leur témoignage, des hommes plus modestes écrivent des chroniques et relatent leur expérience.

Dates clés

1613-1679 : Cardinal de Retz.

1718 : première publication des *Mémoires* du Cardinal de Retz.

1752 : Les *Mémoires* de Saint-Simon sont achevées.

L'ÉCLOSION DU ROMAN À LA PREMIÈRE PERSONNE

• L'héritage picaresque

Même si le roman et l'autobiographie telle que Rousseau l'envisage sont deux genres distincts, l'éclosion du roman à la première personne où un personnage raconte sa vie annonce l'autobiographie. En effet, le genre du roman-mémoires propose une autobiographie fictive comme les romans picaresques dont il est l'héritier. Dans ces romans, un *picaro*, c'est-à-dire un homme du peuple engagé comme serviteur, raconte sa vie et décrit de façon réaliste ses aventures. Les livres appartenant à ce genre, depuis l'ancêtre espagnol, le *Lazarillo de Tormès* (1554), jusqu'au *Gil Blas* (1715-1735) de l'écrivain français Lesage, sont bien des romans, mais ils adoptent une forme autobiographique. Un narrateur fictif raconte une vie imaginaire.

Le roman-mémoires, qui connaît un formidable essor dans les années 1730-1760, reprend cette structure autobiographique. Que ce soit *La Religieuse* de Diderot, *Manon Lescaut* de l'abbé Prévost, *La Vie de Marianne* ou *Le Paysan parvenu* de Marivaux, un personnage raconte ses aventures passées et reconstitue son apprentissage. Destiné à rendre plus vraisemblable la fiction, ce procédé permet au lecteur de s'identifier avec le narrateur, et il donne l'impression de suivre de l'intérieur le récit d'une vie. L'individu, avec son histoire et ses sentiments, devient le centre de la trame romanesque avant de devenir le centre du texte autobiographique. Rousseau accomplira magistralement ce passage : avec lui le récit d'une vie fictive deviendra le récit d'une vie réelle.

Dates clés

1554 : *Lazarillo de Tormès* (auteur inconnu).

1715-1735 : *Gil Blas* de Lesage.

1796 : première publication de *La Religieuse* de Diderot.

1731-1741 : première publication de *La vie de Marianne* de Marivaux.

• Le roman épistolaire

L'intérêt pour le sujet, l'individu, ses sentiments et ses expériences se manifeste aussi dans une autre forme de récit à la première personne : le roman épistolaire. Ce genre connaît lui aussi un essor important au XVIIIe siècle.
Dans un roman par lettres, on découvre les pensées intimes d'un ou de plusieurs personnages fictifs. Un roman épistolaire peut en effet être constitué des lettres d'un seul personnage. C'est le cas des *Lettres portugaises*, le premier chef-d'œuvre du genre (1669) ou d'*Oberman* de Senancour (1804), deux romans où la lettre sert à une exploration des pensées et des sentiments du narrateur.
Le XVIIIe siècle préfère tout de même le roman épistolaire à plusieurs voix. Plusieurs romans marquent l'histoire du genre : *Les Lettres persanes* de Montesquieu (1721), *La Nouvelle Héloïse* de Rousseau (1761), *Les Liaisons dangereuses* de Choderlos de Laclos (1782).
Propice à l'introspection, ce genre permet d'explorer les sentiments des personnages et de suivre leur évolution à travers les échanges. Les mouvements intimes du cœur sont au centre de cette forme romanesque proche souvent du journal intime.
Même si, là encore, nous sommes dans la fiction et que les personnages et les lettres que nous découvrons sont inventés, cette mise en scène de l'intimité, cette attention aux sentiments personnels manifestent une sensibilité nouvelle que l'on retrouvera dans le genre autobiographique.
L'évolution de la création romanesque au XVIIIe siècle prépare l'éclosion de l'autobiographie moderne.

Dates clés

1669 : publication des *Lettres portugaises* de Guilleragues.

1804 : publication de *Oberman* de Senancour.

1721 : publication des *Lettres persanes* de Montesquieu.

1761 : publication de *La Nouvelle Héloïse* de Rousseau.

1782 : publication des *Liaisons dangereuses* de Cholerdos de Laclos.

Le genre autobiographique

Première définition

Si l'on consulte un dictionnaire pour définir l'autobiographie, on trouve des définitions simples et conformes à l'étymologie : une autobiographie est « *une relation écrite de sa propre vie* » (Littré) ou « *la biographie d'un auteur faite par lui-même* » (Le Petit Robert). Le mot est composé de trois parties : *graphie* désigne l'écriture, *bio* la vie et *auto* soi-même. Une biographie est une œuvre écrite par un auteur sur une autre personne. L'autobiographie suppose qu'un auteur décide de raconter (il devient alors narrateur) ce qu'il a vécu. Ce vécu peut être plus ou moins éloigné dans le temps de l'époque de la rédaction. On peut dire que le narrateur va nous parler d'un personnage dont il va reconstituer l'itinéraire dans l'autobiographie. Ce personnage, c'est lui. Une première règle du jeu autobiographique est ici définie : dans un texte autobiographique, l'auteur, le narrateur et le personnage ont la même identité. En général cela entraîne un récit à la première personne mais ce n'est pas obligatoire : on peut en effet parler de soi en utilisant la troisième personne, ou même la deuxième.

• Roman et autobiographie

On peut bien sûr donner à bon nombre de textes romanesques une portée autobiographique et penser que derrière tel ou tel personnage se dissimule l'auteur qui raconte son histoire en empruntant des masques et des détours. Quand on lit par exemple *L'Enfant* de Jules

Vallès, on imagine facilement l'ombre de l'auteur derrière les souffrances du jeune Vingtras. S'agit-il pour cela d'une autobiographie ? Non ! En effet pour qu'un texte soit vraiment une autobiographie, il est nécessaire que l'auteur le désigne comme tel et dise clairement qu'il raconte sa vie.

Une seconde règle du jeu autobiographique apparaît. L'auteur doit annoncer clairement qu'il va nous raconter sa propre vie, ce qui entraîne une clarification des identités : le personnage et l'auteur ont le même nom.

- **Les deux problèmes du projet autobiographique**

S'il y a bien une distance importante entre la décision de l'auteur (écrire son autobiographie) et les faits racontés, qu'entraîne cet écart ? Puis-je me souvenir de ma vie, de mon enfance, avec tous les détails nécessaires à un récit précis ? Quelle est ma relation actuelle à cet enfant ou à cette vie passée qui peut être très lointaine, heureuse ou malheureuse, évoquée avec nostalgie, ironie ou compassion ?

La décision d'écrire une autobiographie, c'est-à-dire un récit organisé, suppose un double effort : organiser les souvenirs et les mettre en mots… Est-il si facile de réorganiser ses souvenirs, d'établir une continuité ? Les souvenirs ne viennent pas dans un ordre chronologique : dois-je céder au désordre *naturel* de la mémoire ou créer un ordre *artificiel* pour composer le récit ? Quels mots, quelles figures dois-je choisir pour opérer cette transmutation de la vie en texte ? Pas si simple !

Seconde définition

Philippe Lejeune, un universitaire français, a consacré plusieurs ouvrages à l'étude du genre autobiographique.

Dans *Le Pacte autobiographique*, il donne la définition suivante du genre : l'autobiographie est « *un récit rétrospectif en prose qu'une personne réelle fait de sa propre existence lorsqu'elle met l'accent sur sa vie individuelle, en particulier sur l'histoire de sa personnalité.* » Détaillons cette définition.

• L'autobiographie : « Un récit rétrospectif en prose »

Un récit suppose une suite d'événements qui s'enchaînent logiquement et chronologiquement. L'ordre chronologique n'est bien sûr pas obligatoire et bon nombre de textes réorganisent librement la succession des événements. Un texte fragmentaire où les souvenirs ne sont pas relatés sous forme de récit (*Je me souviens* de Georges Perec par exemple) ne peut être considéré comme une autobiographie au sens strict : il s'agit plutôt d'une succession libre de souvenirs.

Le récit est rétrospectif, c'est-à-dire qu'il raconte des événements passés. Cette précision permet de distinguer le genre du journal intime qui tente en général de réduire la distance entre le vécu et l'écrit. On tient en général un journal intime pour « *coller* » aux événements et on les raconte sans se soucier de composer un récit très suivi.

Enfin, le récit autobiographique est un texte en prose. Certains poètes comme Victor Hugo (dans *Les Contemplations*, notamment), Queneau ou Michaux écrivent des poèmes très autobiographiques, mais la forme la plus répandue, pour l'autobiographie, est celle du récit en prose. Il ne s'agit pas ici d'une règle mais plutôt d'un constat statistique.

• Le récit qu'« une personne réelle fait de sa propre existence »

On peut très bien écrire une autobiographie fictive en inventant un narrateur et un personnage. Il s'agira alors d'autobiographies imaginaires inventées par un écrivain. Philippe Lejeune précise donc qu'une autobiographie doit être un récit d'une personne réelle.
Au XVIIIe siècle par exemple, Marivaux écrit un long roman intitulé *La Vie de Marianne* (1731-1742) où le personnage éponyme (qui donne son titre à l'œuvre) va raconter sa vie. Marianne, la narratrice, retrace son itinéraire et ses apprentissages. Mais, évidemment, Marianne n'est pas Marivaux.
Le texte autobiographique doit, lui, relater l'existence de l'auteur, ce qui, rappelons-le, le distingue du récit biographique où sera racontée la vie d'une personne différente de l'auteur.

• « L'accent mis sur sa vie individuelle »

On peut très bien décider de raconter une partie de ses expériences sans mettre l'accent sur sa vie intime et sans explorer en détail sa propre histoire. C'est par exemple le cas des *Mémoires*. Le mot peut désigner un ouvrage où la personnalité et la psychologie particulière de l'écrivain ne seront pas explorées. Ainsi, au XVe et au XVIe siècle, le mot *Mémoires* apparaît pour désigner ce qu'on appelait auparavant des *Chroniques* : les écrivains vont raconter les faits qu'ils ont vus, les événements dont ils ont été témoins, mais ils ne décriront pas forcément leur propre vie en détail. Les *Mémoires* sont donc des témoignages que leurs auteurs apportent pour contribuer à la connaissance d'événements historiques. Ils sont en général écrits par des acteurs directs de l'histoire, des personnalités qui sont dans les coulisses du pouvoir (ou au premier plan de la contestation).

• « En particulier sur l'histoire de sa personnalité »

La matière première de l'autobiographie est la personnalité de l'écrivain qui se constitue progressivement dans une succession d'événements que l'on peut appeler son histoire. Il y a donc une part d'introspection indissolublement liée à l'écriture autobiographique. Cette analyse du moi de l'écrivain est en général ancrée dans un contexte familial qui fait très souvent l'objet de longs développements. L'histoire du moi est liée à l'enfance, aux premières expériences, aux premières désillusions. Des écrivains comme Rousseau, Sartre ou Sarraute consacrent une bonne partie de leur autobiographie à leur enfance et à l'élucidation des relations entre l'enfant et l'adulte.
Mais peut-on raconter sans détours et sans stratégies de contrôle ou de dissimulation ses expériences les plus intimes et ses conflits les plus profonds ? Certains écrivains en doutent. Claudel par exemple écrit : « *le meilleur moyen de ne pas se voir est de se regarder* » (*Mémoires improvisées*, 1954). L'auteur d'une autobiographie décide tout de même de relever le défi : dire au plus juste les expériences qui ont constitué sa personne, remonter aux sources du moi.

• Le Pacte autobiographique

Contrairement au texte de fiction qui invente en général les événements et les personnages, le texte autobiographique vise à relater une expérience vécue et prétend décrire la réalité. En écrivant une autobiographie, un auteur s'engage donc à rester fidèle à ce qu'il a vécu, à ne pas inventer, à être sincère. Mais peut-on tout dire, peut-on écrire la vérité rien que la vérité ?

Ce qui est important ici, c'est que le projet de sincérité soit clair et que l'auteur n'ait pas l'intention de s'inventer une vie en transformant la réalité. L'auteur s'engage donc moralement, en quelque sorte, à la sincérité, c'est-à-dire au respect des faits. On peut considérer que l'écrivain passe un pacte de sincérité avec le lecteur : c'est ce qu'on peut appeler le « pacte autobiographique ».

Une œuvre autobiographique ne reproduit pourtant pas la vie, elle la représente dans un langage qui impose des choix, une organisation, des figures, des procédés stylistiques, bref un art : elle n'est pas simplement la copie conforme d'une réalité qui échappe en partie aux mots. On pourra toujours discuter les oublis de tel écrivain, confronter les données biographiques au texte autobiographique : ce qui importe, dans ce dernier, c'est le point de vue que donne l'écrivain sur sa vie, l'effort pour atteindre une vérité et une authenticité qui sont l'horizon du travail autobiographique.

Dans l'autobiographie, on aura toujours affaire à une vie retranscrite, à une vie mise en mots et non à la vie de l'écrivain.

Chez les grands auteurs comme Rousseau, l'effort pour raconter sa vie dépasse la tentation de l'embellissement et du mensonge comme dans les autoportraits des grands peintres…

Groupement de textes :

Fictions autobiographiques

Certains romans sont si proches des expériences personnelles de l'écrivain qu'on peut dire qu'ils sont autobiographiques. Ce ne sont pas des autobiographies car l'écrivain tait ce caractère autobiographique : un personnage qui peut lui ressembler mais qui, en général, ne porte pas son nom devient son « double fictif ». Jacques Vingtras, le héros de *L'Enfant*, ressemble beaucoup à Jules Vallès, Arturo Bandini (dans le roman *Bandini*) est assez proche de John Fante, son auteur. Tous ces personnages fictifs ont un lien très intime avec l'écrivain. Contrairement à l'autobiographie qui prétend décrire une réalité vécue et s'en tenir aux faits, le roman est une fiction : il peut s'éloigner de la réalité, des expériences vécues, il peut inventer des épisodes et les agencer librement. Cette liberté du genre romanesque explique sans doute le succès des romans autobiographiques. Beaucoup de très grands écrivains l'ont pratiqué, utilisant leurs expériences pour construire des fictions. La relation du roman à la biographie de l'auteur devient alors tout à fait secondaire : le lecteur d'un roman ne cherche pas à s'informer sur la vie de l'auteur mais à lire une fiction.

Alfred Hitchcock

Jules Vallès, L'Enfant

« Je n'ai pas eu d'enfance, tu le sais, je n'ai pas eu de famille », écrivait Jules Vallès à son ami Hector Malot en 1876. Cette année-là, cet écrivain rebelle rédige *L'Enfant*, premier roman d'une trilogie romanesque largement inspirée par sa propre vie. Le héros malheureux de ce roman s'appelle Jacques Vingtras, double de l'écrivain qui a choisi la voie de la fiction tout en donnant à son personnage ses propres initiales et beaucoup de son histoire et de sa personnalité.
Comme son personnage, Jules Vallès est le fils d'un professeur de grammaire et d'une paysanne du Velay. La cruauté des parents (puis de l'école), décrite avec ferveur dans le roman, semble assez proche de ce qu'eut à subir l'écrivain. Violence de la mère, méchanceté de professeurs médiocres, faiblesse du père sont mises en évidence pour témoigner de cette jeunesse triste et douloureuse. On comprend mieux à la lecture du roman la déclaration de Jules Vallès à son ami Malot.

Ma mère
Ai-je été nourri par ma mère ? Est-ce une paysanne qui m'a donné son lait ? Je n'en sais rien. Quel que soit le sein que j'ai mordu, je ne me rappelle pas une caresse du temps où j'étais tout petit ; je n'ai pas été dorloté, tapoté, baisotté ; j'ai été beaucoup fouetté.
Ma mère dit qu'il ne faut pas gâter les enfants, et elle me fouette tous les matins ; quand elle n'a pas le temps le matin, c'est pour midi, rarement plus tard que quatre heures.
Mademoiselle Balandreau m'y met du suif.
C'est une bonne vieille fille de cinquante ans. Elle demeure au-dessous de nous. D'abord elle était contente : comme elle n'a pas d'horloge, ça lui donnait l'heure. « Vlin ! Vlan ! Zon ! Zon ! – voilà le petit Chose qu'on fouette ; il est temps de faire mon café au lait. »

Mais un jour que j'avais levé mon pan[1], parce que ça me cuisait trop, et que je prenais l'air entre deux portes, elle m'a vu ; mon derrière lui a fait pitié.

Elle voulait d'abord le montrer à tout le monde, ameuter les voisins autour ; mais elle a pensé que ce n'était pas le moyen de le sauver, et elle a inventé autre chose.

Lorsqu'elle entend ma mère me dire : Jacques, je vais te fouetter !

– Madame Vingtras, ne vous donnez pas la peine, je vais faire ça pour vous.

– Oh ! chère demoiselle, vous êtes trop bonne !

Mademoiselle Balandreau m'emmène ; mais, au lieu de me fouetter, elle frappe dans ses mains ; moi, je crie. Ma mère remercie, le soir, sa remplaçante.

« À votre service », répond la brave fille, en me glissant un bonbon en cachette.

Mon premier souvenir date donc d'une fessée.

Jules Vallès, *L'Enfant*, 1879.

note

1. pan : pantalon.

Louis-Ferdinand Céline, Voyage au bout de la nuit

Publié en 1932, *Voyage au bout de la nuit* est un des romans majeurs de la littérature du XXe siècle. Il ne raconte pas la vie de Louis Destouches dont le nom d'écrivain est Louis-Ferdinand Céline. Mais à travers les aventures et les mésaventures du personnage principal, Ferdinand Bardamu, on retrouve bon nombre d'expériences vécues par l'auteur : la Première Guerre mondiale et une blessure qui éloigna Céline du front, un voyage aux États-Unis, un voyage en Afrique, la pratique de la médecine dans la banlieue parisienne. Ces épisodes développés dans le roman ne sont pas des transcriptions autobiographiques de la vie de Céline : ce sont plutôt des expériences transposées dans la fiction et retravaillées par l'écriture romanesque. Elles constituent en quelque sorte un foyer de souvenirs qui irradie l'ensemble du récit. Dans ce passage, Bardamu évoque son installation en banlieue pour exercer la médecine. L'auteur quant à lui exerça cette profession à Clichy, près de Paris.

> Je n'avais pas de prétention moi, ni d'ambition non plus, rien que seulement l'envie de souffler un peu et de mieux bouffer un peu. Ayant posé ma plaque à ma porte, j'attendis.
> Les gens du quartier sont venus la regarder ma plaque, soupçonneux. Ils ont même été demander au Commissariat de Police si j'étais bien un vrai médecin. Oui, qu'on leur a répondu. Il a déposé son diplôme, c'en est un. Alors, il fut répété dans tout Rancy qu'il venait de s'installer un vrai médecin en plus des autres. « Y gagnera pas son bifteck ! a prédit tout de suite ma concierge. Il y en a déjà bien trop des médecins par ici ! » Et c'était exactement observé.
> En banlieue, c'est surtout par les tramways que la vie vous arrive le matin. Il en passait des pleins paquets avec des pleines bordées d'ahuris bringuebalant, dès le petit jour, par le boulevard Minotaure, qui descendaient vers le boulot.

Les jeunes semblaient même comme contents de s'y rendre au boulot. Ils accéléraient le trafic, se cramponnaient aux marchepieds, ces mignons, en rigolant. Faut voir ça. Mais quand on connaît depuis vingt ans la cabine téléphonique du bistrot, par exemple, si sale qu'on la prend toujours pour les chiottes, l'envie vous passe de plaisanter avec les choses sérieuses et avec Rancy en particulier. On se rend alors compte où qu'on vous a mis. Les maisons vous possèdent, toutes pisseuses qu'elles sont, plates façades, leur cœur est au propriétaire. Lui on le voit jamais. Il n'oserait pas se montrer. Il envoie son gérant, la vache. On dit pourtant dans le quartier qu'il est bien aimable le proprio quand on le rencontre. Ça n'engage à rien. La lumière du ciel à Rancy, c'est la même qu'à Detroit, du jus de fumée qui trempe la plaine depuis Levallois. Un rebut de bâtisses tenues par des gadoues noires au 801. Les cheminées, des petites et des hautes ça fait pareil de loin qu'au bord de la mer les gros piquets dans la vase. Là-dedans, c'est nous.

Louis-Ferdinand Céline, *Voyage au bout de la nuit*,
Denoël et Steele, 1932.

John Fante, Bandini

Arturo Bandini est le héros de nombreux romans écrits par John Fante (1909-1983) à partir des années trente aux États-Unis. À propos de son personnage, l'écrivain américain précisait : *« Il est moi et l'on pourrait dire que je suis lui. Je le crois très représentatif de mon type de jeune homme. »* Il ajoutait : *« d'un point de vue psychologique, cela est aussi autobiographique et sincère que possible »*. En effet, même si un livre comme *Bandini* est un roman d'invention et de fiction, John Fante s'inspire de sa jeunesse pour raconter l'enfance d'Arturo, fils, comme lui, d'immigrés italiens. Comme son personnage, John Fante a pour père un maçon volage et une mère qui s'enferme dans sa douleur et dans son rôle de victime. Voici la description que donne le narrateur de Maria et Svevo, les parents d'Arturo dans *Bandini*, paru en 1938.

> Lui, par exemple, était cent pour cent italien, d'une race de paysans dont on suivait la lignée depuis maintes générations. Pourtant, depuis qu'il était citoyen américain, il ne se considérait jamais comme un Italien. Non, il était américain ; parfois une bouffée de nationalisme lui montait à la tête, et il clamait bien haut la noblesse de son patrimoine ; mais en pratique il était américain, et quand Maria lui parlait des activités ou des vêtements des « femmes américaines », ou quand elle mentionnait une voisine, « cette femme américaine au bout de la rue », il entrait dans une rage folle. Car il était extrêmement sensible aux distinctions de classe et de race, aux souffrances qu'elles impliquaient et qu'il jugeait inadmissibles. Il était poseur de briques ; pour lui, il n'y avait pas dans tout l'univers vocation plus sacrée. On pouvait être roi, on pouvait être conquérant, mais quels que soient le métier ou les activités, on avait besoin d'une maison. Et si on possédait un tant soit peu de jugeote, on choisissait une maison en brique ; et, naturellement, construite par un artisan syndiqué, payé au tarif syndical. Le détail avait son importance.

Mais Maria, perdue dans le pays de conte de fées d'un magazine féminin, poussant des soupirs extasiés devant les fers à repasser électriques, les aspirateurs, les machines à laver automatiques et les cuisinières électriques, Maria devait clore les pages de cette contrée imaginaire et retrouver son décor familier : chaises dures, tapis usés, pièces froides. Il lui suffisait de regarder la paume de ses mains, rendue calleuse par d'innombrables lessives, pour comprendre qu'après tout elle ne faisait pas partie des « femmes américaines ». Rien dans son apparence, ni son teint, ni ses mains, ni ses pieds ; ni la nourriture qu'elle mangeait, ni les dents qui la mâchaient – rien dans la maison où elle vivait, rien ne l'apparentait à la « femme américaine ».

John Fante, *Bandini*, Christian Bourgois Éditeur, 1985,
traduit de l'américain par Brice Matthieussent.

Marguerite Duras, Un barrage contre le Pacifique

Marguerite Duras (1914-1996) a passé sa jeunesse en Indochine, où se déroule *Un barrage contre le Pacifique*, et a puisé dans son expérience pour le composer, déclarant : « Un Barrage *est entièrement autobiographique* », avant de nuancer ce propos, quelques années plus tard. Ancienne institutrice, la mère (un des personnages centraux du roman), après avoir passé quelques années à jouer du piano dans un cinéma pour gagner sa vie, investit toutes ses économies pour acheter des terres cultivables. Mais les agents du cadastre vont lui octroyer des terres inondables, envahies périodiquement par les eaux du Pacifique. Elle imagine alors de construire des barrages pour lutter contre les inondations… Cette histoire est aussi celle de Suzanne, transposition romanesque de l'auteur pendant son enfance, et de son frère.

Le soir, parfois, la mère faisait distribuer de la quinine[1] et du tabac aux paysans et à cette occasion elle leur parlait des changements prochains de leur existence. Ils riaient avec elle, à l'avance, de la tête que feraient les agents cadastraux devant les récoltes fabuleuses qu'ils auraient bientôt. Point par point elle leur racontait son histoire et leur parlait longuement de l'organisation du marché des concessions. Pour mieux encore soutenir leur élan, elle leur expliquait aussi comment les expropriations, dont beaucoup avaient été victimes au profit des poivriers chinois, étaient elles aussi explicables par l'ignominie des agents de Kam[2]. Elle leur parlait dans l'enthousiasme, ne pouvant résister à la tentation de leur faire partager

notes

1. quinine : traitement contre le paludisme.
2. agents de Kam : transposition de Kampot, ville indochinoise.

sa récente initiation et sa compréhension maintenant parfaite de la technique concussionnaire[1] des agents de Kam. Elle se libérait enfin de tout un passé d'illusions et d'ignorance et c'était comme si elle avait découvert un nouveau langage, une nouvelle culture, elle ne pouvait se rassasier d'en parler. Des chiens, disait-elle, ce sont des chiens. Et les barrages, c'était la revanche. Les paysans riaient de plaisir.

Pendant la construction des barrages aucun agent n'était passé. Elle en était quelquefois un peu surprise. Ils ne pouvaient pas ignorer l'importance des barrages et ne pas s'en inquiéter. Cependant, elle-même n'avait pas osé leur écrire, de crainte de les alerter et de se voir interdire la poursuite d'une initiative malgré tout encore officieuse. Elle n'osa le faire qu'une fois les barrages terminés. Elle leur annonça qu'un immense quadrilatère de cinq cents hectares qui englobait la totalité de la concession allait être mis en culture. Le cadastre n'avait pas répondu.

La saison des pluies était arrivée. La mère avait fait de très grands semis près du bungalow. Les mêmes hommes qui avaient construit les barrages étaient venus faire le repiquage du paddy[2] dans le grand quadrilatère fermé par les branches des barrages.

Deux mois avaient passé. La mère descendait souvent pour voir verdir les jeunes plants. Ça commençait toujours par pousser jusqu'à la grande marée de juillet.

Puis, en juillet, la mer était montée comme d'habitude à l'assaut de la plaine. Les barrages n'étaient pas assez puissants. Ils avaient été rongés par les crabes nains des rizières. En une nuit, ils s'effondrèrent.

Marguerite Duras, *Un barrage contre le Pacifique*,
Gallimard, 1950.

notes

1. concussionnaire: coupable de corruption ou de malversation.
2. paddy: riz non décortiqué.

Patrick Modiano, Livret de famille

Écrivain contemporain né en 1945, Patrick Modiano mêle dans ses romans éléments autobiographiques et fiction. Dans *Livret de famille*, il reconstruit en partie, à partir de quelques documents et de témoignages, la rencontre de ses parents dans le Paris de l'Occupation. Le narrateur, qui se nomme comme l'auteur Patrick Modiano, vient visiter trente ans plus tard l'appartement où il a vécu dans son enfance. Les souvenirs resurgissent et l'imagination de l'auteur s'emballe pour évoquer librement le père et la mère. Comme l'archéologue *« qui en présence d'une statue aux trois quarts mutilée, la recompose intégralement dans sa tête »*, le romancier construit son récit et réinvente une histoire à partir de quelques souvenirs épars et diffus, à partir de quelques images anciennes gardées en mémoire.

Un soir, ils étaient allés au théâtre des Mathurins voir un drame intitulé *Solness le Constructeur*[1] et ils s'enfuirent de la salle en pouffant. Ils ne maîtrisaient plus leur fou rire. Ils continuaient à rire aux éclats sur le trottoir, tout près de la rue Greffulhe où se tenaient les policiers qui voulaient la mort de mon père. Quelquefois, quand ils avaient tiré les rideaux du salon et que le silence était si profond qu'on entendait le passage d'un fiacre ou le bruissement des arbres du quai, mon père ressentait une vague inquiétude, j'imagine. La peur le gagnait, comme en cette fin d'après midi de l'été 43. Une pluie d'orage tombait et il était sous les arcades de la rue de Rivoli. Les gens attendaient en groupes compacts que la pluie s'arrêtât. Et les arcades étaient de plus en plus obscures. Climat d'expectative, de gestes en suspens, qui précède les rafles. Il n'osait pas parler de sa peur. Lui et ma mère étaient deux

note

1. Solness le Constructeur : pièce d'Ibsen publiée en 1892.

déracinés, sans la moindre attache d'aucune sorte, deux papillons dans cette nuit du Paris de l'Occupation où l'on passait si facilement de l'ombre à une lumière trop crue et de la lumière à l'ombre. Un jour, à l'aube, le téléphone sonna et une voix inconnue appela mon père par son véritable nom. On raccrocha aussitôt. Ce fut ce jour-là qu'il décida de fuir Paris… Je m'étais assis entre les deux fenêtres, au bas des rayonnages. La pénombre avait envahi la pièce. En ce temps-là, le téléphone se trouvait sur le secrétaire, tout près. Il me semblait, après trente ans, entendre cette sonnerie grêle et à moitié étouffée.

Patrick Modiano, *Livret de famille*, Gallimard, 1976.

Alfred Hitchcock avait l'habitude de jouer un passant dans chacun de ses films. Mais, dans *Life Boat* dont l'intrigue se déroule sur un bateau, comment inventer des passants sur l'océan ? Il eut alors l'idée, subissant un régime, d'apparaître sur une publicité d'un journal.

Bibliographie

Textes et fictions autobiographiques

Lecture facile

Emanuelle Laborit, *Le Cri de la mouette*, Robert Laffont, 1993.
Camara Laye, *L'Enfant noir*, Librairie Plon, 1953.
Frank McCourt, *Les Cendres d'Angela*, Belfond, 1997.
Annette Müller, *La Petite Fille du Vel' d'Hiv'*, Denoël, 1992.
Marcel Pagnol, *La Gloire de mon père*, De Fallois, 1957.
Marcel Pagnol, *Le Château de ma mère*, De Fallois, 1958.
Marcel Pagnol, *Le Temps des secrets*, De Fallois, 1960.
Marcel Pagnol, *Le Temps des amours*, De Fallois, 1977.
Art Spiegelman, *Maus, un survivant raconte*, Flammarion, 1987.

Plus difficile

Isabel Allende, *La Maison aux esprits*, Fayard, 1984.
Hervé Bazin, *Vipère au poing*, LGF, 1972.
Nina Berberova, *C'est moi qui souligne*, Actes Sud, 1989.
Karen Blixen, *La Ferme africaine*, Gallimard, 1942.
François Cavanna, *Les Ritals*, Belfond, 1978.
François Cavanna, *Les Russkoffs*, Belfond, 1979.
Albert Cohen, *Le Livre de ma mère*, Gallimard 1954.
Colette, *Sido*, Hachette, 1929.
Roald Dahl, *Moi, Boy*, Gallimard, 1987.
Annie Duperey, *Le Voile noir*, Le Seuil, 1992.
Romain Gary, *La Promesse de l'aube*, Gallimard, 1960.
André Gide, *Si le grain ne meurt*, Gallimard, 1920.
Maxime Gorki, *Enfance*, Gallimard, 1999.
Julien Green, *Partir avant le jour*, Grasset, 1963.
Charles Juliet, *L'Année de l'éveil*, POL, 1988.
Ruth Klüger, *Refus de témoigner*, Viviane Hamy, 1997.
Jack London, *Martin Eden*, UGE, 1973.
Amélie Nothomb, *Stupeur et Tremblement*, Albin Michel, 1999.

Bibliographie

Daniel Picouly, *Le Champ de personne*, J'ai lu, 1997.
Jacques Roubaud, *Autobiographie, chapitre dix : poèmes avec des moments de repos en prose*, Gallimard, 1977.
Jorge Semprun, *Adieu vive clarté*, Gallimard, 1998.
Jorge Semprun, *Autobiographie de Frederico Sanchez*, Le Seuil, 1978.
Richard Wright, *Black Boy*, Gallimard, 1947.

Difficile

Simone (de) Beauvoir, *Mémoires d'une jeune fille rangée*, Gallimard, 1958.
Marguerite Duras, *L'Amant*, Éditions de Minuit, 1984.
Georges Perec, *W ou le souvenir d'enfance*, Denoël, 1975.
Claude Roy, *Moi je*, Gallimard, 1969.
Stendhal, *Souvenirs d'égotisme*, Gallimard, 1983.
Léon Tolstoï, *Souvenirs*, Gallimard, 1960.
Marguerite Yourcenar, *Souvenirs pieux*, Gallimard, 1974.

Achevé d' imprimer en Italie par Rotolito Lombarda
Dépôt legal : Août 2012 - Collection n° 46 - Edition n° 08
16/8213/7